LLWYBR GOBAITH

ANTUR CYMODI O GYMRU I'R BYD

LLWYBR GOBAITH

Antur cymodi o Gymru i'r byd

RHIANNON LLOYD

Golygwyd gan John Emyr

GWASG PANTYCELYN

ISBN 1-903314-75-5

Cyhoeddir y llyfr hwn gyda chymorth ariannol
Cyngor Llyfrau Cymru.

Cyhoeddwyd gan Wasg Pantycelyn
ac argraffwyd gan Wasg y Bwthyn, Caernarfon

Cynnwys

CYFLWYNAF Y GYFROL HON
I
GWENDA
CHWAER ARBENNIG A RHODD DUW I MI

RHAGYMADRODD

Pam yr aeth meddyg dawnus o Gymru i wasanaethu yn Rwanda yn fuan iawn ar ôl yr hil-laddiad enbyd a fu yno yn 1994? A hithau'n feddyg teulu a seiciatrydd llwyddiannus, pam y dewisodd Dr Rhiannon Lloyd, Y Rhyl, droi ei golygon at faes anodd cymodi? Beth, a phwy, a fu'n gymorth iddi yn y gwaith? A'i gwreiddiau yn ddwfn ym mywyd a diwylliant Cymru, sut y bu ei phrofiad fel Cymraes yn gymorth iddi yn ei gwasanaeth rhyngwladol? Ceir yr atebion i'r cwestiynau hyn ac eraill yn y llyfr hwn. Ceir cipolwg hefyd, rhwng y llinellau, fel petai, ar gymeriad hynod o ddewr.

Yn ein bywyd cythryblus cyfoes, prin bod llawer o feysydd sy'n fwy gwerthfawr a pherthnasol na maes cymodi rhyngwladol. Mae Dr Rhiannon Lloyd yn arbenigo yn y maes hwnnw, ac fe ddysgodd ei chrefft yn ysgol profiad. Drwy arwain gweithdai cymodi yn Rwanda – gweithdai a gâi eu mynychu gan aelodau o lwyth y Twtsi a llwyth yr Hwtw a fu, ers cenedlaethau, yng ngyddfau'i gilydd, yn casáu ac yn lladd ei gilydd – fe lwyddodd Rhiannon i ddatblygu dull arloesol sydd bellach o ddiddordeb mawr i'r rhai sy'n gweithio ym maes cymodi. Bellach mae llawer o wledydd eraill eisiau cymhwyso'r gwersi a ddysgwyd yn Rwanda.

Cwbl briodol, felly, yw ein bod ni fel Cymry yn cael peth o'i hanes, o lygad y ffynnon, a hynny drwy gyfrwng ei mamiaith. Cynhaliwyd y cyfweliad yng Nghaerdydd dros gyfnod o dridiau ym Mhasg 2003. Rhoddodd chwaer Rhiannon, Gwenda Lloyd, ei chymorth a'i chefnogaeth garedig. Yn ystod y cyfweliad, daeth yn amlwg bod yma hanes arbennig ac eneiniedig, a gwyddem ein bod yn gwrando ar dystiolaeth unigryw a gyfeiriai ein sylw at ymwneud Duw ag un a alwyd ganddo i hyrwyddo cariad lle bu casineb ac i ledaenu cymod lle bu lladd. Meddai Rhiannon am ei hymweliad cyntaf â chyfandir Affrica:

'Arbrawf, mewn gwirionedd, oedd fy ymweliad cyntaf â Liberia. Doedd yr asiantaeth gymorth ddim wedi gwneud gwaith o'r natur yma o'r blaen, dim ond gwaith dyngarol. Ar y pryd, felly, doedd hi ddim yn ymddangos y cawn gyfle eto i ymweld â'r wlad honno. Er hynny roedd yna rywbeth yn fy nghalon yn dweud y byddai'r gwaith a roddwyd i mi yn datblygu. Gwelwn fy hun fel un a fu'n feddyg i friwiau'r corff, yna yn feddyg i friwiau'r meddwl, wedyn i friwiau'r enaid, a bellach yn helpu i iacháu briwiau cenedl. Roedd rhywbeth yn fy nghalon yn awyddus i wneud mwy ar y trywydd hwnnw, ac eto ni wyddwn sut yn y byd y byddai hynny'n dod i fod.'

Dangosir yn y cyfweliad sut y daeth hynny i fod, a gwelwn y modd y cafodd Rhiannon ei galw i wasanaethu yn Rwanda a gwledydd eraill.

Er gwaethaf staen a hagrwch y gweithrediadau drygionus a gofnodir, hanes llawen a gorfoleddus a geir rhwng y dalennau hyn – hanes daioni yn gorchfygu drygioni, hanes cadarnhaol a allai fod yn nerth ac ysbrydoliaeth i rai sy'n cael eu galw i waith tebyg. Meddir am brofiadau'r awdur yn Rwanda: 'Oes yna unrhyw wlad wedi bod drwy fwy o dywyllwch na hyn? Ac eto rydym wedi profi bod y goleuni yn dal i lewyrchu; methodd y tywyllwch â diffodd y goleuni. Dyna i chi neges i'r byd. Os ydi'r diafol wedi methu yma, wnaiff o ddim llwyddo yn unman arall. Wedyn dyma nôl y drymiau a dechrau canu, dawnsio a moli – weithiau tan oriau mân y bore.'

A hithau'n ferch ifanc yn Nhreborth, wedi ei magu ar aelwyd Gymraeg lle roedd gweithgareddau'r Urdd yn cael lle anrhydeddus, cafodd Rhiannon, yn gynnar yn ei hanes, brofiad o bethau anodd dros ben – yn arbennig, y gwaeledd sydyn a difrifol a drawodd ei chwaer, Gwenda, ac yna'r afiechyd dwys a drawodd ei mam. Ar ben hynny, yn ystod dyddiau ysgol a choleg, fe brofodd Rhiannon ragfarn yn ei herbyn fel Cymraes, profiad a fu bron â rhoi terfyn buan ar ei gyrfa feddygol. Ond, er gwaethaf y profiadau anodd hyn, roedd gan Dduw gynllun a phwrpas ar ei chyfer. Daeth Rhiannon yn Gristion pan oedd yn 16 oed, ac yn dilyn hynny, fe brofodd ragfarn bellach yn ei herbyn. Er hynny, drwy'r cyfan, cafodd ei chynnal, ei hadeiladu a'i pharatoi at waith mawr ei bywyd.

Mewn mannau yn y cyfweliad mae Rhiannon yn sôn am y profiadau gwerthfawr a gafodd o gymorth goruwchnaturiol a gwyrthiol. Er hynny, er llawenhau yn y pethau rhyfeddol hynny, mae ei thraed yn gadarn ar y ddaear. Ac mae ei hanes yn cynnig help ac ysbrydoliaeth i eraill sy'n awyddus i brofi bendith yr Arglwydd yn eu bywydau.

Wrth baratoi'r cyfweliad ar gyfer ei gyhoeddi, fe ychwanegodd Rhiannon ambell gofnod at y cyfweliad gwreiddiol. Rydym wedi cadw'n agos at gywair llafar y cyfweliad gwreiddiol, ac rydym yn hyderu y bydd cynnwys y llyfr o fewn cyrraedd rhai sydd wedi dysgu'r Gymraeg fel ail iaith ac sydd bellach yn siaradwyr gweddol rugl. Gobeithiwn y bydd o ddiddordeb hefyd i ddarlithwyr, athrawon a myfyrwyr sy'n dilyn cyrsiau ar faterion rhyngwladol. Mewn dyddiau pryd y bydd y dimensiwn rhyngwladol yn debygol o gael lle mwyfwy amlwg yn ein bywydau, mae sylwadau Rhiannon Lloyd yn arwyddocaol ac yn teilyngu trafodaeth.

Diolchaf i Gwen, fy mhriod, am gynorthwyo gyda'r cyfweliad ac am deipio'r cyfan. Diolch i Maldwyn Thomas a Gwasg Pantycelyn am ymgymryd â'r gwaith cyhoeddi. Mae fy niolch hefyd i Gwenda Lloyd am ei chymorth a'i chefnogaeth. Diolchaf yn arbennig i Rhiannon Lloyd am ymateb yn gadarnhaol i'n cais i'w chyfweld.

JOHN EMYR, Caerdydd
Gwanwyn 2005

Rhiannon a Gwenda yn ifanc iawn

1 Cefndir

Diolch ichi am gytuno i gael eich cyfweld. Fyddech chi mor garedig â rhoi cipolwg ar eich cefndir a'r dylanwadau cynnar?

Cefais fy ngeni yn y flwyddyn 1947 a'm magu ym mhentref Treborth, Bangor: pentref bach llawn diwylliant lle roedd pwyslais ar fod yn greadigol. Roedd pwyslais hefyd ar addysg a chartref crefyddol. Cefais gyfle i gymryd rhan yn y capel, sef Capel y Graig, Penrhosgarnedd, pan oeddwn yn ifanc, a bu hynny'n help mawr imi gyfrannu'n gyhoeddus yn ddiweddarach. Pan oeddwn tua phedair oed byddwn yn dweud adnod neu'n adrodd pennill o farddoniaeth. Wedyn byddai cystadlaethau o bob math yn cael eu cynnal yn yr eisteddfodau. Roeddwn yn mwynhau cymryd rhan yn gyhoeddus.

Fy mam, sef Marian Treuddyn fel y byddai'n cael ei hadnabod, oedd cadfridog cyntaf Urdd Gobaith Cymru, a bu'n gweithio gyda Syr Ifan ab Owen Edwards. Marian Williams oedd ei henw teuluol, a'i chartref yn wreiddiol oedd Fferm y Llan, Treuddyn, rhwng Wrecsam a'r Wyddgrug. Mae plac erbyn hyn y tu allan i'r hen gartref. Roedd arwyddair yr Urdd, bod yn ffyddlon i Gymru, i gydddyn ac i Grist, yn cael lle blaenllaw yn ei bywyd. Dyma ddisgrifiad R.E. Griffith yn ei gyfrol *Urdd Gobaith Cymru* (Cyfrol 11 1922-1945, t. 37):

11

'Cyn diwedd 1922 roedd Marian Williams (Mrs W.E. Lloyd, Treborth, wedyn) wedi creu hanes trwy gasglu ei haelodau ynghyd i ffurfio "Adran" yn y Treuddyn, a honno oedd cangen swyddogol gyntaf yr Urdd. Roedd y Sylfaenydd, yn ei nodiadau misol, yn annog aelodau i glosio at ei gilydd i siarad Cymraeg, ond ni chynigiodd bolisi na threfniant o fath yn y byd; diau y teimlai y datblygai'r agwedd ffurfiol honno o dan arweiniad y Capteiniaid, y Rhingylliaid a'r Cadfridogion. Ac roedd yn llygad ei le. Gwell oedd i'r trefniant godi'n lleol a thyfu o'r tu mewn yn hytrach na bod yn rhywbeth a wthid o'r tu allan, a dyna'n union a ddigwyddodd yn y Treuddyn.

'Pentref yn Sir y Fflint ydi'r Treuddyn, heb fod nepell o'r Wyddgrug a Chlawdd Offa yn rhedeg trwy'r ardal. Roedd dylanwad Seisnig yn drwm ar y fro, a gellid meddwl am Adran gyntaf yr Urdd yn codi mewn llawer lle Cymreiciach. Ond roedd yn y Treuddyn ferch ysgol o Gymraes selog, yn hoff o sgrifennu penillion a dramâu i blant iau, merch ddawnus a oedd yn boblogaidd ymhlith ei chyfoedion, merch a chanddi reddf arweinydd. Nid rhyfedd i Marian Williams agor pennod newydd yn hanes yr Urdd, a'r cyntaf i gydnabod ei gorchest oedd y Sylfaenydd. Cyhoeddodd hanes yr Adran a darlun o'r aelodau yn rhifyn Rhagfyr 1922 o "Cymru'r Plant".'

Roedd mam wedi caru'r Arglwydd ers pan oedd hi'n ferch ifanc. Cafodd ei magu mewn cartref lle roedd fy nhaid wedi cael tröedigaeth yn ystod diwygiad 1904-05, ac roedd hynny wedi gadael argraff ddofn ar y teulu i gyd yn Nhreuddyn. Deuthum ar draws emyn a ysgrifennwyd ganddi pan oedd yn ei harddegau – emyn o ymgysegriad. Wrth feddwl am y dioddef corfforol oherwydd afiechyd a ddaeth i'w rhan ymhellach ymlaen yn ei bywyd, mae'r emyn hwn yn cyffwrdd fy nghalon.

BLODAU BYWYD

Dysg, O Dad, im blannu blodau –
Blodau peraidd ar bob llaw;
Maddau'r drain, O maddau'r pigau
A rof yma, a rois draw:
Rho Dy heulwen
I ddwyn ffrwyth 'o'r anial cras'.

Diolch it am gân aderyn,
Diolch it am awel fwyn,
Diolch mwy am wên blodeuyn
Sydd yn llenwi'r byd â'i swyn;
Cân a blodau
Darddo mwy o 'nghalon i.

Gwn daw hydref, gwn daw gaeaf,
Hwyrach stormydd cyn bo hir;
Ieuanc wyf, Dy gymorth geisiaf –
Help i gadw'r dail yn ir:
O Ben-Garddwr
Dysg im drin fy mywyd brau.

Roedd hi'n wefr hefyd darganfod darnau o farddoniaeth a ysgrifennwyd gan fy nghyndeidiau. Un ohonynt oedd Clwydwyson, sef hen daid. Yn amlwg, roedd yntau wedi profi'r efengyl, ac wedi sgrifennu barddoniaeth am Grist. Darganfyddais englynion ganddo yn llawysgrifen mam. Dyma ddau ohonyn nhw:

Y CRISTION A'R DŴR BYWIOL

Dyn a'i Dduw'n ei wneud yn ddiwall – iachus
    Heb syched yr anghall:
    O na bai'r byd i gyd yn gall
    I yfed dŵr o fyd arall!

MARWOLAETH CRIST

I fôr dioddef â'r Duwddyn – yno roedd
Yn rhaid marw rhywun;
O fyd, pa beth fu wedyn?
Bu farw Duw a bu fyw'r dyn!

Roedd Bardd Nantglyn (Robert Davies, 1769-1835) yntau'n un o'm cyndeidiau. A llawenydd i mi, yn sicr, oedd canfod bod nifer o'r teulu wedi dod i brofiad personol o'r Arglwydd Iesu Grist.

Aeth fy mam yn sâl pan oeddwn yn un ar ddeg. Cafodd arthritis yn y gwaed (*rheumatoid arthritis*), cyflwr a ymledodd yn gyflym. O ganlyniad, mewn cadair olwyn y bu hi o hynny ymlaen gan fethu â gwneud dim drosti ei hun. Ond byddai'n siarad yn aml am ei magwraeth ar yr aelwyd yn Nhreuddyn a'r modd y dechreuwyd adran gyntaf yr Urdd mewn ardal mor gwbl Seisnig. Byddai nifer yn dod i'r ffermdy gyda'r hwyr i'w chlywed yn canu'r delyn, a hwythau'n adrodd cerddi yr oedden nhw newydd eu cyfansoddi. Roedd fy mam hefyd wedi ysgrifennu nifer o gerddi ei hun i blant, ac arferai'r rheini gael eu cyhoeddi yn *Nhrysorfa'r Plant*. Hefyd ysgrifennodd nifer o ddramâu i blant a phobl ifainc, a chafodd y rheini eu cyhoeddi a'u perfformio yn eisteddfodau cyntaf yr Urdd. Pan fu farw fy mam yn 1972, roedd teyrngedau'r papurau newydd a ddaeth i'm dwylo yn sôn amdani fel 'seren i'r genedl' a lwyddodd i swyno llawer â'i dawn i ganu penillion a chanu'r delyn. Ar ôl ei marwolaeth, cyhoeddwyd cyfrol o'i barddoniaeth i blant, *Hwiangerddi Marian Treuddyn*.

Felly roedd y cartref yn un diwylliedig iawn. Ynghyd â'n diddordeb yn y byd Cymraeg a Chymreig, caem bob anogaeth i ymddiddori yn y byd y tu allan i Gymru yn ogystal. Roedd fy nhad, yn rhinwedd ei waith, wedi teithio cryn dipyn ar dir mawr Ewrop ac wedi ymddiddori yn ffyrdd amrywiol pobl o edrych ar fywyd. Yn naturiol, felly, byddem yn trafod pethau o'r fath yn aml gyda'n gilydd ar yr aelwyd yn Nhreborth, ac roedd pynciau rhyngwladol

Priodas fy rhieni

wrth fy modd. Byddwn yn mwynhau mynd i'r Eisteddfod Ryngwladol yn Llangollen, gweld y bobl yn eu gwisgoedd cenedlaethol, eu clywed yn siarad eu hieithoedd eu hunain a gwylio'r dawnsfeydd. Yn yr eisteddfod honno caem hwyl yn casglu llofnodion, gan gystadlu â'n gilydd i weld pwy fyddai'n casglu'r nifer fwyaf ohonyn nhw. Soniai mam am raglen a oedd yn bwysig iddi hi, sef rhaglen Dydd Ewyllys Da. Yn ein cartref ni roedd llawer o sôn am dderbyn pobl a oedd yn wahanol a'u parchu am yr hyn oedden nhw, ac roeddem fel teulu yn gryf yn erbyn rhyfel.

Beth oedd cefndir eich tad?

Cafodd ei eni a'i fagu yng Nghyffylliog, ger Rhuthun. Roedd yn ddyn deallus ac yn wyddonydd a lwyddodd i gael addysg dda drwy fynnu cerdded milltiroedd i fynd i'r ysgol. Cafodd MSc mewn Cemeg Amaethyddol ym Mhrifysgol Cymru, Bangor. Daeth yn Arolygwr Amaethyddol, a'i waith oedd mynd o gwmpas y ffermydd yn cynghori'r ffermwyr ar sut i wella ansawdd eu tir er mwyn cael cnydau gwell. Cafodd ei anrhydeddu ag MBE am y gwaith hwnnw.

Gwaith fy nhad, felly, a ddaeth â ni i Fangor i fyw. I Ysgol y Faenol yr es i, i ddechrau, ac yna Ysgol y Merched. Doedd yna ddim ysgolion Cymraeg i'w cael pan ddechreuais yn yr ysgol gynradd, ond tra oeddwn yno fe sefydlwyd ysgol gynradd Gymraeg yn St. Paul. I'r ysgol honno yr aeth Gwenda, fy chwaer, ond roedd f'arholiadau 11+ yn rhy agos i mi newid ysgol. Cefais ganiatâd, er hynny, i wneud fy 11+ drwy gyfrwng y Gymraeg.

Beth oedd naws yr addysg uwchradd a gawsoch yn Ysgol y Merched?

Cofiaf lawer o ddadlau a llawer o densiynau rhwng y Saeson a'r Cymry. Un diwrnod, er enghraifft, dywedodd dwy ferch wrthyf fi a ffrind imi a oedd yn Gymraes: 'You are inferior to us. My father says so.' Câi pethau fel hyn eu dweud:

'We conquered you long ago. Why don't you nuckle under and accept it?'

'Your language is irrelevant and your culture is rubbish.'

'It's rude to speak Welsh because we can't understand you.'

Roedd teimlad o anghyfiawnder yn tyfu ynof fi. Os gweithred anghwrtais oedd siarad fy iaith fy hun yn fy ngwlad fy hun, fe holwn, ble fedrwn i siarad yr iaith honno? A'r ateb, wrth gwrs, oedd y tu ôl i ddrysau caeedig y cartref. Oherwydd yr agwedd elyniaethus tuag at y Gymraeg a'r Cymry, fe dyfodd gwir ddicter ynof am flynyddoedd, ac roedd fy nhad yn ychwanegu at y teimlad hwnnw, o bosibl, gan nad oedd yn or-hoff o'r Saeson. Yn wahanol i mam, a barchai bawb, arferai fy nhad ddweud bod y Saeson i gyd yr un fath, yn imperialwyr a oedd yn eu helfen yn adeiladu eu teyrnasoedd eu hunain ar draul diwylliannau gwledydd eraill. Credai fod y Saeson yn bobl falch a thrahaus, a heb ddiddordeb o fath yn y byd yn niwylliant gwledydd eraill.

Oedd yna rai pethau a fu'n gymorth ichi gael budd o'ch profiadau addysgol?

Roedd gennym eisteddfod yn yr ysgol, ac yn ddiwylliannol fe wnaem gryn dipyn drwy gyfrwng y Gymraeg. Roedd hynny, yn naturiol, wrth fy modd. Ysgrifennwn ddramâu a chawn actio'r prif rannau, ac roedd drama, fel gyrfa, yn denu fy mryd. Eto, doeddwn i ddim yn siŵr beth a wnawn wedi gadael yr ysgol, prun ai astudio drama yn y Coleg Cerdd a Drama neu ddilyn gyrfa feddygol. Yr ochr ddramatig i feddygaeth oedd yn apelio, mae'n debyg, ar y pryd, gan fod rhaglenni teledu fel *Dr Kildare* ac *Emergency Ward Ten* yn ddylanwad arnaf fi fel llawer yn fy nghenhedlaeth. Wedi cyrraedd yr Ysgol Feddygol, fodd bynnag, fe sylweddolais yn fuan nad oedd bywyd yn y feddygaeth yn union fel hynny. Roedd meddygaeth yn golygu llawer o waith caled.

Oedd uchelgais eich rhieni wedi bod yn ddylanwad o bwys yn eich dewis o yrfa?

Doeddwn i ddim yn ymwybodol eu bod wedi fy ngwthio mewn unrhyw fodd, ond gwyddwn fod llwyddo yn golygu llawer i 'nhad a oedd wedi gorfod gweithio'n galed i gyrraedd y brig yn ei broffesiwn. Yn achos fy nhad, llwyddiant oedd wedi rhoi sicrwydd iddo, a chredai o'r herwydd mai dyna fyddai'r peth gorau a allai ddigwydd i bawb arall.

Roedd afiechyd yn y cartref yn ffactor yn fy newis gyrfa, mae'n siŵr. Fel y soniais eisoes, bu fy mam yn sâl iawn. Yna cafodd Gwenda, fy unig chwaer, ei tharo'n wael pan oedd yn bedair oed a hefyd pan oedd yn ei harddegau. Roedd fy nhad yn hen erbyn hynny (roedd yn 56 oed pan gefais fy ngeni) a minnau'n gorfod cario beichiau pawb arall yn y cartref. Dyna oedd yn diffinio'r hyn oeddwn: edrych ar ôl angenrheidiau pobl eraill. Ond oddi mewn roedd 'na deimlad dwfn o ddicter ('resentment'), teimlad fy mod yn cael cam.

Oeddech chi'n ymwybodol o'r tyndra hwn oddi mewn ar y pryd?

Oeddwn, achos roeddwn wrth fy modd, er enghraifft, yn mynd i wersyll yr Urdd yn Llangrannog gan anghofio'n llwyr am y sefyllfa gartre tra oeddwn i yno. Cawn fy newis yn gapten y tŷ weithiau a byddwn yn rhoi fy holl egni i geisio ennill pob tarian yn yr amrywiol gystadlaethau. Llwyddwn i gau allan problemau 'nghartref yn ystod yr wythnos hapus honno.

2 Credu

Pryd y daethoch chi i gredu yn yr Arglwydd Iesu Grist ac ymddiried eich bywyd iddo?

Rwyf wastad wedi 'credu', gan imi gael fy nwyn i fyny i fynd i'r capel. Roedd dydd Sul i ni yn ddiwrnod arbennig, heb fod yn faich. Byddem yn gwisgo dillad parch, ac roedd yn ddiwrnod pryd y caem wneud pethau na chaem eu gwneud ar ddiwrnodau eraill: trafod, darllen llyfrau arbennig ac yn y blaen. Roedd fy ewythr, y Parch. Glyn Williams, yn weinidog ym Methel, ger Caernarfon, wedyn yn Nhreforys, yna yn Aberdyfi. Gwyddwn ei fod ef a modryb Lena yn caru'r Arglwydd yn fawr. Deellais yn ddiweddarach iddyn nhw weddïo llawer drosom ni fel teulu ac iddyn nhw neilltuo mis arbennig i ymprydio ac i weddïo drosom. Ddiwedd y mis hwnnw, sef Hydref 1963, fe gawson nhw lythyr oddi wrthyf yn rhannu'r newyddion mod i newydd ddod yn Gristion. Pan oedden nhw'n gweddïo drosom ni, mae'n debyg i'm modryb weld llun yn ei meddwl o'n cartref ni, Garreg Wen, a chroes uwch ei ben. Cafodd fy modryb ymdeimlad fod Duw yn dod ag atebion i sefyllfa a oedd yn llawn o dristwch oherwydd dioddefaint.

Yr adeg honno, pan oeddwn yn y chweched dosbarth, daeth fy ffrind, Annabel, i'r ysgol a dweud ei bod wedi cael ei hachub. Doeddwn i, ar y pryd, ddim yn deall ystyr hynny, gan imi feddwl yn siŵr ein bod ni ein dwy yn debyg ac wedi bod yn Gristnogion erioed. 'Na', meddai fy ffrind, 'dwi wedi cael fy achub.' Bu dadl rhyngom wedyn, a'r diwedd fu iddi ofyn imi fynd gyda hi ar encil penwythnos o dan nawdd yr Eglwys Apostolaidd yn Wrecsam. Trwy'r eglwys honno y daeth hi i'r bywyd. Felly, wedi dadlau pellach, fe es i gyda hi ar yr encil, a dyma'r tro cyntaf i mi weld pobl ifainc a oedd yn amlwg yn caru'r Arglwydd Iesu Grist mewn ffordd angerddol, real a phersonol. Gallwn eu clywed yn gweddïo am bethau a oedd yn ymddangos i mi yn od – diolch am faddeuant pechodau ac am gael bywyd newydd. Roedd y cyfan yn ddirgelwch i mi. Yng nghartref y bobl yr oeddwn yn aros gyda nhw, cefais wraig y cartref yn gofyn a oeddwn yn Gristion. Fy ateb oedd dweud oeddwn, siŵr iawn, gan mod i'n Gymraes. Aeth ymlaen wedyn i ofyn pryd y des i'n Gristion, ac roeddwn yn synnu ati hi'n gofyn cwestiwn a oedd yn ymddangos yn un twp i mi. Wel, os oeddwn yn Gymraes, roeddwn yn Gristion, meddwn eto. Yn sicr doeddwn i ddim yn bagan. Dyma hi'n esbonio wedyn fod y Beibl yn dweud bod 'na amser pryd rydych chi'n rhoi eich hun yn benodol i Dduw, a dyma hi'n dangos yr adnodau yn Efengyl Ioan, pennod 3, am y geni newydd. Po fwyaf roedd hi'n siarad, mwyaf annifyr roeddwn i'n teimlo, a theimlwn yn ddig tuag ati. Cawn fy hun yn parhau i ddweud nad oedd hi, yn amlwg, yn deall mod i wedi bod yn athrawes Ysgol Sul am flynyddoedd, ac wedi bod yn mynd i'r capel bob oedfa, a'm bod yn berson reit ddymunol. Cymerais y cyfan yn sarhad go iawn – roeddwn wedi fy nhramgwyddo ei bod yn awgrymu bod angen i mi gael tröedigaeth. Buom yn siarad tan oriau mân y bore, a theimlwn fy mod i wedi ennill y ddadl pan aethom i'n gwlâu yn y diwedd. Roeddwn wedi llwyddo i brofi nad oedd angen tröedigaeth arnaf fi. Eto, wedi mynd i'r gwely, wnes i ddim cysgu drwy'r nos. Wrth imi droi a throsi, y cwestiwn a âi drwy fy meddwl i oedd: 'Beth pe bai hi'n iawn? Beth pe bawn i'n golledig?' Roedd y posibilrwydd mod i, fel Cymraes, yn golledig yn fy nychryn.

Bore drannoeth es i i wasanaeth cymun, ac yn y gwasanaeth

hwnnw fe ddywedais wrth Iesu Grist nad oeddwn yn deall, ond mod i wirioneddol eisiau bod yn blentyn iddo ef. Gofynnais iddo fy achub, gan ychwanegu, 'beth bynnag ydi ystyr hynny'. Roedd y cyfan yn debyg i ymuno â'r fyddin, rhoi fy enw ar y rhestr. Doedd yna ddim argyhoeddiad o bechod yr adeg honno, am wn i, dim ond dyhead dwfn am fod yn un o blant Duw.

Y noson honno, yn ystod cyfarfod yr hwyr, cefais deimlad o lawenydd a sicrwydd fod Duw wedi fy nghlywed. Teithiais adref ar y bws, ac yn ôl fy arfer cerdded y rhan olaf o'r daith at y tŷ. Roedd yna allt o ben y rhiw i lawr i Dreborth a hen chwarel gerllaw. Roedd arnaf bob amser ofn mynd heibio i'r chwarel honno, gan mod i wedi clywed pobl a phlant yn dweud bod bwci-bo neu bobl ddrwg yn llechu yno. Ond y noson honno fe gerddais adref yn hollol ddi-ofn, gan deimlo bod Iesu Grist gyda mi ac ynof fi.

Cafodd fy rhieni sioc pan gyrhaeddais adref a chyhoeddi, i bob pwrpas, mod i wedi cael fy aileni. Dechreuais bregethu yn syth bin. Roeddwn yn annoeth a dweud y lleiaf. Wedyn, yn yr ysgol, roeddwn wrth fy modd yn rhannu'r newydd. Yn ystod gêm hoci, rwy'n cofio imi redeg yn ôl ac ymlaen ar hyd y cae yn chwifio fy ffon a dweud, 'Rwy'n Gristion, ac wedi cael fy achub.' Ymhen fawr o dro, aeth y gair ar led yn yr ysgol fod Rhiannon yn dioddef o 'religious mania'. Ac yn fuan iawn, cyrhaeddodd fy hanes glustiau'r brifathrawes, a chefais fy ngalw i mewn i'w hystafell i roi cyfrif am fy ymddygiad. Roedd hi'n poeni amdanaf. 'Beth sydd wedi digwydd?' oedd ei chwestiwn. Minnau'n esbonio mod i wedi bod mewn encil, ac wedi gweld y gwirionedd o'r diwedd, ac yn y blaen. Ei chyngor oedd imi roi'r gorau i gymysgu â'r bobl amheus hynny, neu byddwn yn siŵr o ffeindio fy hun yn ysbyty Dinbych. Hefyd roedd athrawon eraill yn anesmwyth yn fy nghylch.

Does dim dwywaith imi gael rhyw lawenydd mawr a sicrwydd o realiti Iesu Grist yn fy mywyd, ac er cywilydd imi fe gollais bob diddordeb yn fy ngwaith ysgol gan esgeuluso'r gwaith hwnnw am gyfnod. Rwy'n gofidio am hynny erbyn hyn.

Rhyw dri mis ar ôl y llawenydd dechreuol hwnnw, pan oeddwn

yn fy ngwely gyda'r hwyr, dechreuais feddwl am fy mhechodau. Meddyliais am y ffordd y bûm yn ddigon cas tuag at Gwenda, ac yn blentyn digon haerllug ar brydiau tuag at fy rhieni. Gwelwn o'm blaen ddarlun digon hyll ohonof fy hun yn dadlau llawer â'm rhieni ac yn falch fy osgo. Profais yr hyn y byddai ein tadau'n ei alw yn 'fwlch yr argyhoeddiad'. A minnau'n gwybod yn fy nghalon fod Iesu Grist wedi fy nerbyn, roedd y cwestiwn yn codi yn awr sut y gallai fod wedi gwneud hynny, a'r holl bethau hyll hyn yn fy mywyd. Cofiais emyn roeddwn wedi ei glywed, oedd yn dechrau â'r geiriau:

Wyt ti am ddod o'th bechodau yn rhydd?
Mae nerth yn y gwaed, nerth yn y gwaed.

Roedd yn emyn a gafodd ei ganu, yn wreiddiol, adeg y diwygiad, mae'n debyg. Roeddwn wedi ei glywed yn cael ei ganu yn Saesneg, ac roeddwn yn dechrau deall yn awr fod gan hyn i gyd rywbeth i'w wneud â'r hyn a ddigwyddodd ar y groes. Gofynnais i'r gweinidog yn yr Eglwys Apostolaidd fy helpu i ddeall yn well. Eglurodd imi ystyr marw iawnol Iesu Grist trosom ar y groes, ac wedi deall yr hyn a ddigwyddodd y prynhawn hwnnw ar Galfaria y dechreuais garu Iesu Grist go iawn.

Cefais fy nghynghori gan sawl un i gau'r holl syniadau newydd yma allan o'm meddwl a pharhau i ddod i'r capel yn ufudd. Roedd yn adeg anodd imi. Dim ond un ffrind a oedd gen i ar y pryd a oedd yn credu yn yr un ffordd, ac un person arall oedd â diddordeb yn yr hyn roeddwn yn ei gredu. Roedd llawer o unigrwydd yn nodweddu'r cyfnod hwn.

Yn Saesneg y clywais yr Efengyl yn cael ei phregethu, felly Duw Saesneg a gefais i, a'r Duw hwnnw, i raddau helaeth, yn wahanol i'r Duw Cymraeg yr oeddwn i wedi clywed amdano yn y capel o Sul i Sul. Dechreuais ddarllen fy Meibl yn Saesneg a dechrau hyd yn oed weddïo yn Saesneg. Dechreuais fynychu cyfarfodydd lle y byddwn yn clywed pregethau yn Saesneg, a dechrau meddwl nad oedd yna Gristnogion oedd yn siarad Cymraeg ac a fyddai'n deall yr hyn roeddwn wedi ei brofi (heblaw fy ewythr a'm modryb).

Wedyn fe wnes i gyfarfod Cymraes a oedd yn deall, a'i henw hi oedd Glenys Jones, sef Glenys Davies erbyn hyn, a ddaeth yn wraig i'r Parch. Ioan Davies, sy'n weinidog yn y Bala. Roedd hithau wedi cael yr un profiad ac yn deall. Fe fu hi fel chwaer fawr i mi, ac yn wir help. Un peth a wnaeth oedd mynd â mi i wersyll Efengylaidd ym Mryn-y-groes, y Bala. Roedd clywed yr Efengyl yn Gymraeg a chyfarfod Cymry Cymraeg a oedd yn credu yr un peth yn brofiad anhygoel ar y pryd.

3 Iachâd

Mae nifer ohonom yn cofio i brofiad mawr arall ddod i'ch rhan pan fuoch yn wael iawn. Beth yn union a ddigwyddodd bryd hynny, a pha arwyddocâd ydych chi'n ei weld yn y profiad bellach?

Er bod fy nhad yn ddyn egwyddorol a âi yn ffyddlon i'r capel, roedd deall y byd ysbrydol yn rhywbeth a oedd yn anodd iawn iddo. Pan fyddem yn sôn am berthynas bersonol gyda Duw drwy'r Arglwydd Iesu Grist, doedd o ddim yn deall peth felly o gwbl. Rwy'n cofio cael llawer o ddadleuon gyda fo. Serch hynny, roedd yn chwilio hefyd; gweddïai bob nos cyn mynd i'r gwely a darllen y Beibl. Ond roedd hynny'n fater o ddysgu egwyddorion, yn bennaf, a bod yn ffyddlon i ffordd o fyw yn hytrach na realiti o berthynas fywiol gyda Duw. Eto, fe ddechreuodd ddarllen rhai o'r llyfrau y byddwn yn eu cludo adref. Ar un adeg roedd o mewn ysbyty, ac fe ddes i â llyfr iddo, *Run, Baby, Run* gan Nicky Cruz: hanes am rai yn Efrog Newydd a oedd wedi darganfod yng Nghrist ryddid o gaethiwed i gyffuriau. Cafodd ei gyffwrdd yn fawr gan y llyfr hwnnw, ac roedd yn sychedu ar ôl hynny. Roedd arno eisiau mynd i gynadleddau ac eisiau clywed mwy, darganfod mwy. Ar un lefel, roedd wedi cael gafael ar bethau ac wedi dod i sicrwydd. Wedyn, tra oeddwn i yn feddyg yn y Rhyl, yn y blynyddoedd cynnar fel meddyg, pan oeddwn yn dod adref a sôn am rai o'r cleifion yn marw, gwelwn gysgod yn dod dros ei wyneb, a gallwn weld ei fod yn pryderu. Ac roeddwn yn meddwl, 'O dad, dydych chi ddim yn barod; mae arnoch chi ofn.'

Yn Ionawr 1975 fe ddechreuais weddïo o ddifri dros dad. Erbyn hynny roedd yn 83 oed, ac rwy'n cofio dweud wrth Dduw: 'Plîs wnei di wneud rhywbeth i sicrhau bod dad yn cael profiad pendant ohonot ti. Dwn i ddim faint o fywyd sy ganddo ar ôl, a does dim ots beth wnei di, dim ond iti ei baratoi o. Dwi am iddo fod yn barod i'th gyfarfod di pan ddaw'r amser.' A chofiaf imi ddweud hyn hefyd: 'Does dim ots faint o ddioddef y mae'n ei olygu yr ochr yma, dim ond iddo ei baratoi at yr ochr arall.' Pan wnes i weddïo hynny, meddwl oeddwn i y byddai dad, efallai, yn mynd drwy ryw ddioddef. Ond bythefnos i'r diwrnod wedi imi weddïo y weddi honno roeddwn i ar fin marw yn yr ysbyty yn y Rhyl.

Am rai dyddiau cyn hynny roeddwn i wedi bod yn teimlo braidd yn symol gyda dolur gwddw ac yn ceisio dal ati gyda'm gwaith – roeddwn yn gweithio fel meddyg teulu ar y pryd – ac ar ddiwedd yr wythnos honno, ar y dydd Gwener, pan es i i mewn i'm gwaith, yn sydyn, fe deimlais yn sâl ofnadwy, a cheisiais gyfleu i'r meddygon eraill fy mod yn teimlo'n wirioneddol sâl. Ac roedden nhw'n dweud, 'Ia, fel 'na mae ffliw, yndê'. Roeddwn innau'n dweud, 'Na, na. Mae 'na rywbeth mawr o'i le.'

Erbyn y noson honno, roeddwn yn ddifrifol wael, ac fe ddaeth un o'r meddygon i'm gweld gyda'r hwyr, a gallwn weld ei fod yn poeni. Meddai, 'Tybed ai *rheumatic fever* neu rywbeth ydi hyn?' A dywedodd y byddai'n dod yn ôl i'm gweld drannoeth. Yn ystod y nos, yn oriau mân y bore, rwy'n cofio sylweddoli bod rhywbeth mawr o'i le arnaf. Sylwais fod fy nghorff yn gleisiau duon i gyd, a dyma fi'n meddwl, 'O bobl bach, mae gen i *meningococcal meningitis*.' Gwyddwn mai hynny oedd un o'r sgîl-effeithiau, un o'r cymhlethdodau y gellwch eu cael gyda'r afiechyd hwnnw. Yn amlwg roeddwn i'n dechrau mynd yn ddryslyd oherwydd pe bawn wedi bod yn fy iawn bwyll byddwn wedi gwybod bod rhaid imi gael help i fynd i mewn i'r ysbyty ar unwaith. Ond yr hyn a ddywedais wrthyf fy hun oedd, 'Gobeithio y byddaf yn dal yma bore yfory er mwyn imi gael dweud wrth y meddyg nad *rheumatic fever* sydd gen i.'

Aeth pum diwrnod heibio heb imi wybod dim amdanyn nhw. Digwydd aros gyda ffrindiau yr oeddwn i ar y pryd, a thrannoeth dyma fy ffrind yn meddwl, 'Fe adawaf i Rhiannon gysgu. Gan nad ydi hi'n teimlo'n dda, fe adawaf iddi gysgu'n hwyr.' Ond pan oedd hi'n mynd i lawr y grisiau, dyma hi'n teimlo'r Ysbryd Glân yn ei hanesmwytho hi a dweud wrthi am fynd i'm llofft i. Gwnaeth hynny, a phan aeth hi i mewn i'm llofft roeddwn mewn coma, ac roedd gen i y math o anadlu sy'n beth terfynol. A gallai fy ffrind weld fy mod mewn cyflwr ofnadwy. Daeth y meddyg, a chael a chael oedd hi i'm cael i'r ysbyty mewn pryd. A dweud y gwir, wrth inni agosáu at yr ysbyty, sef Ysbyty Brenhinol Alexandra, y Rhyl, fe stopiais anadlu, a dyma'r meddyg o Gristion a oedd gyda mi yn gweiddi allan, 'Arglwydd, na! na! na!' Ac fel roeddem yn cyrraedd yr ysbyty, fe gymerais wynt arall. Yna, pan oeddwn yn cael fy ngharia i mewn i'r ystafell dderbyn yn yr ysbyty, dyma nhw'n gweld fy mod i reit ar fin marw. Ac roedd yna gofrestrydd yno o'r India – roeddwn wedi gweithio gyda fo o'r blaen. Fe ddywedodd rhywun wrthyf yn ddiweddarach ei fod wedi torri i lawr ac wylo. A dyma fo'n dweud nad oedd yna unrhyw beth y gallen nhw ei wneud, fy mod wedi mynd yn rhy bell. A dyma nhw'n ffonio dad – roedd o ym Mangor – a thorri'r newydd iddo a dweud, 'Os ydych chi eisiau gweld eich merch yn fyw eto, mae'n rhaid ichi ddod ar unwaith.' Roedd hynny'n sioc ofnadwy i dad, wrth gwrs. Fe ddaeth rhywun â fo mewn car draw i'r Rhyl.

Roeddwn i mewn coma am bum diwrnod. Trwy'r diwrnod cyntaf roedden nhw'n disgwyl imi farw. Ond y nos honno roedd yna griw o Gristnogion wedi dod at ei gilydd i weddïo drosof yng nghartref un o'r meddygon yn y Rhyl, ac ar yr un pryd roedd cylchoedd gweddi wedi cael eu galw ar hyd a lled gwledydd Prydain, ac mewn rhai gwledydd eraill hefyd. Roedd pobl yn eiriol drosof, ac ar yr union amser roedden nhw wrthi'n gweddïo yn y grŵp gweddi yn y Rhyl a lleoedd eraill, am y tro cyntaf un dyma fy nhymheredd a'm pwls yn gostwng. Yn ddiweddarach, gallwn weld hynny ar y siart: roedd yna ostyngiad arwyddocaol a sydyn. Ar ôl hynny fe ddywedodd y meddygon ei bod yn ymddangos y cawn fyw, ond fe ddywedon nhw hefyd wrth fy nhad, er y cawn fyw efallai, fod y newydd yn ddrwg iawn o hyd oherwydd fod yna bob arwydd fy mod wedi cael nam difrifol i'r ymennydd, ac nad oedden nhw'n gwybod beth fyddai fy nghyflwr os deuwn allan o'r coma. Roedd hynny i gyd yn ddychryn i 'nhad, yn ddychryn ac yn brawf. Ond wrth iddo eistedd ger fy ngwely fe welai Gristnogion yn dod i mewn i'r ystafell, un ar ôl y llall, ac yn eu plith y gweinidog a rhai o'r meddygon y bûm yn gweithio gyda nhw. Roedden nhw'n dod i mewn ac yn gweddïo o gwmpas y gwely; a daeth un o ffrindiau mawr Yncl Glyn, y Parch. Meirion Roberts, Llandudno gynt, i mewn a rhoi ei ddwylo arnaf a gweddïo yn enw Iesu Grist am iachâd. Fel y dywedai 'nhad, ar y pedwerydd diwrnod, a minnau'n dal mewn coma, fe ddywedais wrtho – does gen i ddim cof o gwbl am hyn gan nad oeddwn yn ymwybodol tan y pumed diwrnod – 'Dad, mi gewch chi fynd adre rŵan. Dwi'n mynd i fod yn iawn, ac mae'ch angen chi ar Gwenda yn fwy na mi.' Ac roedd 'nhad yn gwybod nad oeddwn yn ymwybodol pan ddywedais hynny. Ond fe aeth adref, ac ar y ffordd adref fe alwodd yn nhŷ Dr Joy Price ym Mae Colwyn lle roedd cyfarfod ar ei hanner: cymdeithas o Gymry wedi dod at ei gilydd yng nghartref Joy i addoli ac astudio'r Beibl. A dyma 'nhad yn siarad yn y cyfarfod a dweud, 'Roeddwn i'n meddwl fy mod yn Gristion o'r blaen, ond dim ond rŵan rwy'n credu mewn gwirionedd achos rwyf wedi gweld Duw yn dechrau gwneud yr amhosibl gyda Rhiannon. Mae pobl wedi bod yn gweddïo drosti, ac rwy'n gweld ei bod yn gwella er bod y meddygon wedi dweud bod ei chyflwr hi'n ddifrifol ac nad oedd dim gobaith o gwbl bron. Rwy'n gwir gredu rŵan.' Ymhellach ymlaen daeth Joy i'm gweld a'r tâp gyda hi, a chefais glywed fy nhad yn dweud hynny. Gallwch ddychmygu'r wefr a gefais wrth glywed hynny.

Ar y pumed diwrnod, y peth cyntaf rwy'n ei gofio ydi bod rhywun yn ceisio tynnu llun pelydr-X ohonof. Deffrois a gweld fy mod mewn ysbyty, a meddyliais, 'Tybed beth sy'n digwydd fan hyn?' Dyma alw'r meddygon ataf, ac fe siaradon nhw â mi a gweld bod fy ymennydd i'n iawn. Ac fe ddywedais wrthyn nhw, *'Meningococcal meningitis* ydw i wedi ei gael, yntê?' Roedden nhw'n synnu fy mod i'n trafod y diagnosis gyda nhw funudau ar ôl dod allan o'r coma. Er hynny, roeddwn i'n ddifrifol wael o hyd: roeddwn wedi cael nam i'r galon, roedd y chwarennau adrenal wedi eu taro, ac roeddwn yn cael dosys mawr o gortison i geisio fy nghadw'n fyw. Ar ben hynny, roeddwn wedi cael niwmonia ar y trydydd diwrnod ac roedd f'ysgyfaint chwith wedi datchwyddo ('collapsed lung'). Rwy'n cofio dweud wrth Dduw ar ôl imi ddeffro o'r coma, 'Rwy'n gweld dy fod wedi dod â mi reit o safn y bedd. Beth sy'n mynd i ddigwydd rŵan? Dydw i ddim llawer o ddefnydd i Ti fel hyn; beth sy'n mynd i fod yn y dyfodol?' Daeth tri gair i'm meddwl, yn Saesneg, geiriau allan o'r bregeth olaf y clywais Yncl Glyn yn ei phregethu cyn iddo farw. Pregeth oedd hi am y claf a gafodd ei wneud yn holliach ar y Saboth. Y tri gair oedd 'every whit whole' (Ioan 7:23). Roedd Iesu Grist wedi iacháu dyn yn Jerwsalem, wrth y pwll ym Methesda, ac roedd y Phariseaid yn wyllt gacwn am fod Iesu Grist wedi gwneud y dyn hwnnw'n holliach ar y Saboth.

Peth mawr arall a aeth o le oedd fy mod wedi colli rhan o'm golwg oherwydd roeddwn wedi cael gwaedlyn y tu ôl i'r llygad chwith. Rwy'n cofio gorwedd yno a dweud, 'Mae popeth yn iawn. Rwyt am fy ngwneud yn gwbl iach.' Wedyn fe ddechreuodd rhai pobl ddod i'm gweld a dweud, 'O, mae Duw wedi addo i ni, tra oedden ni'n gweddïo drosot ti, nid yn unig ei fod am achub dy fywyd di, ond ei fod yn mynd i dy wneud di yn gwbl iach. Daeth hynny mewn amryw o lythyrau hefyd, ac roedd Duw yn cadarnhau fy ffydd i drwy hynny.

Tipyn o dasg ydi disgrifio'r wythnosau nesaf. Y peth cyntaf a ddigwyddodd oedd hyn: er bod y pelydr-X a gymerwyd ar y trydydd diwrnod wedi dangos niwmonia a'r ysgyfaint wedi datchwyddo, roedd y pelydr-X a gymerwyd ar y pumed diwrnod yn hollol glir. Roedd y meddygon yn methu deall bod hwnnw'n hollol glir ar ôl deuddydd. Yn y cyfamser roedd y meddygon a oedd yn Gristnogion yn anfon negeseuon allan at bobl er mwyn iddyn nhw wybod am beth i weddïo amdano ar y pryd. Gwn fod llawer o bobl wedi gweddïo am y niwmonia, ac ymhen deuddydd roedd wedi mynd yn llwyr. Wedyn fe gafodd y chwarennau adrenal eu hiacháu: pan wnaethon nhw ailbrofi'r rheini, roedden nhw'n gweithio'n iawn ymhen tua wythnos. Roedd dau beth reit bwysig ar ôl: roedd murmur yn y galon ac roedd graffiau'r galon yn dangos bod niwed wedi ei wneud i gyhyr y galon. Hefyd roedd fy ngolwg yn peri pryder. Daeth yr arbenigwr llygad i mewn, a gallai weld fod yna broblem. Roedd gen i dro yn fy llygad, felly roeddwn yn gweld dau o bob peth. Edrychodd yr arbenigwr arnaf a dweud, 'Rwyt ti wedi cael gwaedlyn fan hyn y tu ôl i'r llygad yma, ac mae'n ddrwg gen i ddweud na fyddi di'n gweld yn iawn drwy'r llygad yma eto.' Gallwn weld cylch rownd yr ochr, ond dim drwy'r canol. Ac meddai ymhellach, 'Gallwn roi llawdriniaeth i drin y tro yn dy lygad ymhellach ymlaen pan fyddi wedi cryfhau. Paid â phoeni amdano: mae gen ti lawer o waith gwella o'th flaen i ddechrau. Fe ddown yn ôl at hyn rywbryd eto. Ond does dim y gallwn ei wneud i adfer y golwg oherwydd y gwaedu sydd wedi digwydd y tu ôl i'r llygad.'

Wrth iddo gerdded allan o'r ystafell, roedd yna dri meddyg a oedd yn Gristnogion yn dod i mewn, a dywedais wrthyn nhw beth roedd yr arbenigwr llygad wedi ei ddweud. Roedd fy nghalon wedi suddo. A dyma nhw'n gwenu a dweud, 'Wel, mae hynny'n golygu y cawn wyrth, oherwydd mae Duw wedi rhoi sicrwydd inni ei fod yn mynd i'th wneud di yn gwbl iach heb unrhyw sgîl-effeithiau yn aros.' Felly dyma nhw'n dechrau moli fan yno wrth fy ngwely a chael gwasanaeth bach o ddiolchgarwch. Roedd hynny'n rhyfedd oherwydd, ar yr un pryd, roedd yr arbenigwr yn y swyddfa yn sgrifennu yn fy nodiadau i y byddai yna 'permanent visual damage', a ninnau'n cael amser o foli oherwydd y byddem yn gweld gogoniant Duw. Drannoeth fe ddeffrois, ac am y tro cyntaf fe welwn un o bob peth, a hynny'n dal am ychydig funudau'n unig cyn mynd yn ôl i ddau o bob peth. Y bore wedyn fe welwn un o bob peth am ryw hanner awr. Dros wythnos wedyn gallwn weld un o bob peth am ychydig mwy o amser, ac erbyn diwedd yr wythnos roedd y broblem wedi cilio, ac ni welais yn ddwbl fyth ar ôl hynny. Roedd y tro yn fy llygad wedi mynd, er bod yr arbenigwr wedi dweud y byddai arnaf angen llawdriniaeth ymhellach ymlaen.

Ar ôl imi ddod allan o'r ysbyty, fe es i i weld yr arbenigwr llygad eto, ac fe brofodd fy llygaid. Roedd yn methu deall bod y tro wedi mynd. Pan ddywedais fod y cyfan wedi mynd ar ôl wythnos, roedd yn synnu fwy fyth. 'Rwy'n falch iawn o glywed hynny', meddai. Dydw i ddim yn deall beth ydi'r achos o gwbl. Beth bynnag, fe gawn ni weld faint o olwg sydd gen ti yn y llygad yma rŵan.' A dyma fo'n profi'r llygad, a dim ond y llythyren fawr uchaf y gallwn ei gweld, a doedd honno ddim yn glir o gwbl. Gallwn weld bod y siart wedi ei goleuo, ond fawr fwy na hynny. Meddai'r arbenigwr, 'Mae hynny'n fwy o olwg nag roeddwn yn meddwl y byddet yn ei gael. Diolcha fod gen ti gymaint, ond 'chei di ddim mwy na hyn rŵan.' A dywedais wrtho, 'Rwy'n credu y bydda' i'n cael fy ngolwg i gyd yn ôl.' Edrychodd arnaf yn reit dyner a dweud, 'Gwranda, Rhiannon, rhaid iti wynebu ffeithiau. Does dim pwynt iti obeithio ac wedyn cael dy siomi. Mae'n well derbyn ffeithiau. Dwyt ti ddim yn mynd i weld drwy ganol dy lygad chwith eto.' Dywedais, 'Rwy'n credu', ond ni chymerodd unrhyw sylw o hynny. Fe dynnodd lun â chamera o'r tu ôl i'm llygad, llun drwy'r lens, ac roedd y llun yn dangos craith wen ar du ôl coch y llygad. Dangosodd y llun imi a dweud, 'Fydd hynna ddim yn mynd i ffwrdd.'

Mi es i oddi yno, yn dal i ymddiried, a thros gyfnod o ryw ddau fis, bob dydd roedd yna ychydig bach mwy o welliant; ac ymhen tri mis roeddwn wedi cael fy ngolwg yn ôl yn llwyr. Yn ystod yr un wythnos fe es i i weld yr arbenigwr ynghylch y galon, a dywedodd hwnnw hefyd, 'Mae'r murmur wedi mynd. Mae'r 'tracing' yn holliach. Does dim byd o gwbl o'i le arnat ti rŵan.' Dyma fi'n dweud, 'Dwi wedi cael fy ngolwg yn ôl hefyd.' Atebodd yntau, 'Mi greda' i unrhyw beth rŵan. Rwyt ti wedi herio'r gwerslyfrau meddygol ym mhob ffordd arall. Waeth iti fynd yr holl ffordd ddim.' Fe gafon nhw gyfarfodydd amdanaf yn y Rhyl: roedd y meddygon yn fy nangos fel *exhibit*; hefyd fe wnaethon nhw sgrifennu amdanaf yn y *British Medical Journal*.* Ond, i mi, y peth mawr oedd nid fy mod wedi gwella ond bod 'nhad wedi dod i ffydd bendant. Fe welsom newid mawr ynddo, yn ei bersonoliaeth i gyd. Roedd yna ryddid a llawenydd nad oedd yno cynt, ac awydd i rannu ei ffydd gyda phobl eraill hefyd – er enghraifft, yng Nghapel y Graig ym Mhenrhosgarnedd, yn enwedig yn yr ysgol Sul. Fe wnâi yn fawr o unrhyw gyfle a ddeuai i'w ran. Yn y gymdeithas lenyddol a lleoedd eraill roedd yn dal ar y cyfle i ddweud wrth bobl am y siwrne y bu arni am flynyddoedd, yn chwilio am y gwirionedd a'r gwir Dduw a'i fod wedi dod i sicrwydd pendant o'r diwedd. I mi roedd hynny werth popeth.

Hefyd fe wnaeth Duw ateb gweddïau eraill. Roedd gen i faich dros eglwysi Cymraeg, a chan fod yr hanes wedi ymledu fy mod wedi cael iachâd, cefais fy ngalw i fynd i siarad mewn nifer o gyfarfodydd bach mewn capeli yn Nyffryn Clwyd. Gallwn weld bod Duw, drwy'r hyn a ddigwyddodd imi yn gorfforol, wedi rhoi symbol, a gallwn ddweud, 'Yn gorfforol bûm ar fin marw, ond cefais fy nghipio o borth y bedd yn ôl i fywyd. Roeddwn wedi colli fy ngolwg a chefais fy ngolwg yn ôl, ac fe gyffyrddodd yr Arglwydd â'm calon hefyd a rhoi calon newydd imi. Fe ddaru llawer ddigwydd imi yn gorfforol, ond pwysicach o lawer i mi oedd yr

---

* Dr Rex Gardner, 'Miracles of healing in Anglo-Celtic Northumbria as recorded by the Venerable Bede and his contemporaries: a reappraisal in the light of twentieth century experience,' *British Medical Journal*, Cyfrol 287, 24-31 Rhagfyr 1983, tt.1927-1933; Gweler hefyd Dr Rex Gardner, *Healing Miracles: a doctor investigates*, Darton, Longman and Todd, Llundain, 1986, tt. 20-21. (Yn yr erthygl a'r llyfr, sonnir am yr iachâd a ddisgrifir yn y bennod hon.)

hyn a ddigwyddodd yn ysbrydol. Pan ddeuthum yn Gristion yn 16 oed, roedd Duw wedi dod â mi o farwolaeth i fywyd ac wedi agor fy llygaid i weld gogoniant Iesu Grist a'r newyddion da amdano. Hefyd rwyf wedi cael calon newydd ganddo.' Roeddwn mor falch o gael y cyfle, drwy hanes yr iachâd corfforol, i ledaenu'r newyddion da mewn cyfarfodydd bach mewn nifer o leoedd, ac i mi dyna'r peth pwysicaf o bell ffordd – bod yr hyn a ddigwyddodd wedi agor drysau i'r efengyl.

4 Gyrfa

Sut y penderfynoch chi pa gwrs i'w ddilyn a pha goleg i fynd iddo?

Fel y dywedais yn gynharach, roedd y dewis rhwng gwneud cerdd a drama neu feddygaeth, ac, fel Cristion, fe benderfynais mąi mynd yn feddyg oedd y peth iawn i'w wneud. Bellach mae fy agwedd at hyn wedi newid gan y gall Duw ddefnyddio pobl mewn unrhyw faes, ac nad ydi un maes yn fwy ysbrydol nag un arall. Roedd arnaf eisiau mynd i Gaerdydd, wrth gwrs, ond ches i mo fy nerbyn yno. Siom oedd hynny, ond gan fod Leeds wedi fy nerbyn, a minnau erbyn hynny'n awyddus i fod yn feddyg, fe es i i astudio yno.

Wedi cyrraedd Leeds, cefais fy hun mewn dinas a oedd yn llawn o adeiladau mawr a thraffig trwm. Teimlwn fel pe bawn wedi cyrraedd Efrog Newydd neu ddinas enfawr debyg i honno. Cefais ofn drwy 'nghalon wedi cyrraedd yno. Fi oedd yr unig Gymraes yn fy mlwyddyn yn yr ysgol feddygol, a chefais amser anodd. Cawn fy hun yn cofio geiriau'r merched a oedd yn Ysgol y Merched ym Mangor yr un adeg â mi, fy mod i'n israddol fel Cymraes ac ati – fel petai'r tâp hwnnw wedi dechrau chwarae, a minnau'n credu yr hyn a glywais, a bod yr ymdeimlad o israddoldeb wedi mynd yn ddwfn i mewn i'm hysbryd. Dechreuais deimlo na ddylwn i ddim bod ar y cwrs, ac nad oeddwn yn ffit i fod ymhlith y myfyrwyr eraill a oedd wedi derbyn eu haddysg mewn ysgolion bonedd a phreifat. Teimlwn fod y myfyrwyr o'm cwmpas yn bobl glyfar iawn, a minnau'n hanu o bentref bach gwledig yng Nghymru. Dechreuais deimlo bod 'na ryw gamgymeriad mawr wedi digwydd. Collais bob hyder, a phan fyddai rhai darlithwyr yn dod ataf i ofyn cwestiwn, roedd yr ymdeimlad o anallu ac israddoldeb yn cael ei danlinellu. Diwedd hyn oedd fy mod i eisiau gadael a dychwelyd adref.

Fodd bynnag, wedi ffeindio'r Undeb Cristnogol a chael fy hun ymhlith cannoedd o fyfyrwyr a oedd yn credu yr un fath â mi, gwerthfawrogais hynny'n fawr a chofiais am fy unigrwydd ysbrydol adref. Sylwais ar eu hyder a'u sêl dros yr hyn roedden nhw'n ei gredu, ac roedd hi'n anodd mynd adref. Sylwais hefyd fod tuedd ynof o'r dechrau i uniaethu fwy â'r myfyrwyr tramor na'r Saeson. Dyna pryd y dechreuais sylweddoli fy mod wedi barnu'r Saeson yn fy nghalon a'u labelu fel pe baent i gyd 'yr un fath'. Sylweddolais fod hyn yn fater difrifol iawn ac nad oedden nhw i gyd yr un fath o bell ffordd. Bu'n rhaid imi ddelio â'r atgasedd hwn a oedd wedi tyfu yn fy nghalon, ac o ganlyniad fe dyfais yn y ffydd ysbrydol ac fel myfyriwr.

Roedd y Saeson o Ogledd Lloegr – er enghraifft, Gogledd Swydd Efrog a Swydd Gaerhirfryn – yn haws o lawer i gyd-dynnu â nhw. Roeddwn i'n eu gweld nhw'n bobl fwy real, a chynnes, a hwythau yn dweud bod yn well ganddyn nhw ni'r Cymry Cymraeg na Saeson De Lloegr. Fe wnes i fwynhau cymdeithas â nhw.

Sut, felly, oeddech chi'n cymdeithasu gyda Christnogion eraill?

Yn fy amser hamdden prin, fe wnes i ddechrau gweithio gyda grŵp Cristnogol oedd yn cynnig gweinidogaeth i bobl ar y stryd. Cynnig help oedden nhw i rai a oedd yn cymryd cyffuriau a rhai a oedd yn diota. Penderfynais fynd i fyw mewn hostel Gristnogol a byw o dan yr unto gyda phob math o bobl, ac roeddwn wrth fy modd. Gallwn weld ysbryd Duw yn cyffwrdd bywydau pobl a gweld rhai ohonyn nhw'n newid wrth iddyn nhw brofi cariad Iesu Grist a chael golwg newydd sbon ar eu bywydau.

Dechreuais feddwl o ddifrif mai gwaith o'r fath roeddwn i i fod i'w wneud. Ystyriais o ddifrif adael meddygaeth a mynd i weithio mewn gwaith tebyg i'r hyn a gafodd ei ddarlunio mor fyw yn llyfr David Wilkinson, *The Cross and the Switchblade*.

Doeddwn i ddim yn hoffi seiciatreg o gwbl, achos mod i'n gweld pobl, wrth iddyn nhw gael eu categoreiddio, yn cael eu gosod mewn blychau, fel petai, a chael eu llenwi â chyffuriau. Doedd dim gwir ymgais i ddeall pobl. Felly, wedi'r profiad hwnnw fel myfyriwr, penderfynais na fyddwn i eisiau gwneud y gwaith hwnnw byth wedyn. Cefais fy hun, ar y pryd, mewn gwrthdaro go iawn gyda'm tiwtor. Roedd cleifion penodol yn cael eu haseinio i ni, a ninnau'n cael cyfle i ddod i'w hadnabod a deall eu cyflwr ac wedyn ysgrifennu papur amdanyn nhw. Fy nghasgliad i am y ferch a gefais i'w hastudio oedd ei bod yn ferch anhapus iawn ac nad oedd yn sâl yn feddyliol. Gallwn ddeall pam ei bod hi'n cael anawsterau meddyliol wedi'r diffyg parch a'r diffyg cariad a brofasai yn ei bywyd. Hunan-barch ac ymdeimlad fod rhywun yn ei charu fyddai'n ei gwella, a dyna oedd swm a sylwedd fy adroddiad arni. Cefais farc isel gan fod fy nghasgliadau yn gwbl wahanol i'r hyn roedd fy nhiwtor yn ei ddisgwyl gen i.

Wrth edrych yn ôl, fyddech chi'n dal i ddweud yr un peth, neu a fyddech chi'n dweud bod yna le cywir i feddygaeth yn y maes seiciatrig ar adegau?

Yn sicr mae lle i feddygaeth, ond mewn ysbyty meddwl, wyddoch chi, mae yna bobl sy'n wirioneddol sâl a phobl sy'n anhapus am eu bod wedi bod drwy droeon anodd mewn bywyd, neu heb gael magwraeth ddiogel. Felly mae angen dirnad pwy sy'n wael go iawn a phwy sydd angen y newyddion da Cristnogol yn yr ystyr ehangaf.

Ychydig ddyddiau cyn fy mlwyddyn olaf yn y coleg, darganfuwyd bod gennyf TB, a bûm adref am flwyddyn ac yn y sanatoriwm yn Abergele yn gwella. Wedi graddio a chyflawni

Graddio mewn meddygaeth yn Leeds yn 1966

dyletswyddau meddyg tŷ yr ysbyty yn y Rhyl, roeddwn wedi llwyr ymlâdd ac roedd arnaf angen gwaith ysgafnach. Dyna sut yr es i i weithio gyda Dr Joy Price ym Mae Colwyn mewn clinig i blant gyda phroblemau emosiynol.

Beth wnaeth i chi ddilyn y trywydd hwnnw?

Cyfarfod Joy Price mewn ymgyrch Young Life ar y gororau ac mewn encilion, a hithau, fel ffrind mawr i mi, yn gofyn imi fynd ati hi i weithio, lle fyddwn i ddim yn cael gwaith gyda'r nos na thros y penwythnosau. Hefyd roedd hi'n credu y byddai'r gwaith yn asio â'm diddordeb mewn pobl.

Oedd Joy Price yn ddylanwad arnoch chi?

Oedd, roedd hi'n gwbl arbennig, ac fel chwaer fawr i mi. Byddem yn mynd i lawer o gynadleddau gyda'n gilydd a mwynhau dysgu mwy am deyrnas Dduw. Roedd gweld ei chariad a'i pharch at bobl a oedd yn ymgodymu ag anabledd dysgu yn agoriad llygad ac yn addysg. Roedd hi hefyd yn ffrind arbennig i Gwenda. Roedd hi'n benderfynol o geisio deall pobl yn hytrach nag argymell cyffuriau'n unig. Teimlais golled fawr pan fu hi farw.

Roedd gen i ddiddordeb mewn bod yn feddyg mewn sefyllfa genhadol mewn ysbyty yn y Trydydd Byd, ond doeddwn i ddim yn meddwl am funud y byddai hynny'n bosibl oherwydd anghenion fy nheulu. Roedd pwyslais mawr ar y maes cenhadol yn yr Undeb Cristnogol, ac roedd grwpiau'n cyfarfod yn rheolaidd i weddïo dros y gwahanol wledydd. Dewisais gefnogi'r grŵp gweddi a oedd yn canolbwyntio ar India gan mai India oedd maes cenhadol yr Hen Gorff a minnau wedi cael fy nwyn i fyny yn sŵn enwau fel Bryniau Casia a Mizoram. Ond gan nad oedd y llwybr cenhadol yn ymarferol bosibl, y cam nesaf, wedi'r flwyddyn yn helpu Joy Price, oedd treulio blwyddyn fel meddyg teulu yn y Rhyl. Tra oeddwn yno cefais alwad ffôn gan y seiciatrydd ymgynghorol, Dr Dafydd Alun Jones. Dywedodd fod ei ferch wedi fy nghlywed yn siarad mewn cyfarfod Cristnogol a'i fod â diddordeb yn y math o bethau yr oedd gen i i'w dweud. Roedd yn awyddus i wybod pryd y gallwn roi cynnig ar seiciatreg. Esboniodd ei fod yn awyddus i wybod beth oedd rhywun o'm ffydd i yn gallu ei gynnig mewn ysbyty meddwl. Atebais innau, yn reit sicr, nad oedd gen i unrhyw awydd dilyn y trywydd hwnnw, ond roedd yn daer, a gofynnodd imi fynd draw i'w gartref i gael sgwrs. Yn ystod y sgwrs drylwyr honno, fe'm holodd am fy agwedd at fywyd ac am y modd y byddwn yn rhannu fy ffydd. Wedi gwrando arnaf, dywedodd ei fod yn awyddus imi weithio yn ysbyty Dinbych. Fel gwyddonydd, roedd arno eisiau gweld beth fyddai'r canlyniadau. F'ymateb innau oedd brawychu braidd a gofyn, 'O, Arglwydd beth wyt ti'n ei wneud i mi?'

Roeddwn eisoes wedi ymgeisio am swyddi eraill, ond heb lwyddo, a dyma'r drws hwn yn cael ei agor led y pen, a hynny gan wyddonydd a oedd yn awyddus imi rannu fy ffydd fel rhan o'm gwaith bob dydd. Roedd yn rhaid cofio hefyd mai fi fyddai'n cario'r cyfrifoldeb pe bai un o'r cleifion a roddid i'm gofal yn ymateb yn negyddol a'i gyflwr yn gwaethygu ar ôl imi weddïo gyda fo. Oherwydd y ffactorau hyn, wnes i ddim mynd yno yn gwbl ddibryder. Ond roedd yn brofiad da, ac fe wnes i ddysgu mwy am yr ymennydd a'r emosiynau a phroblemau pobl. Dysgais ddirnad pwy oedd yn wael a phwy oedd mewn gwirionedd yn anhapus eu byd, pwy oedd angen triniaeth feddygol a phwy oedd angen triniaeth hollol wahanol. Dysgais sut i wrando ar bobl a pheidio â dangos unrhyw fath o sioc wrth wneud hynny. Profodd hynny o gymorth mawr imi yn fy ngwaith cymodi ymhellach ymlaen yn fy mywyd.

Oedd hi'n anodd cynnig cymorth ysbrydol fel meddyg?

Oedd, yn anodd iawn. Rwy'n cofio un ferch a oedd yn ofnus dros ben ac yn clywed lleisiau o hyd, a'r lleisiau hynny'n dweud: 'Os na wnei di roi dy enaid i'r diafol, mi laddaf dy blant.' Pan mae Cristion yn clywed peth felly sy'n dod o'r pwll, mae'n rhaid helpu mewn rhyw fodd. Gan fy mod yn gweithio gyda gwahanol feddygon, a chyda'r meddygon i gyd yn eu tro, roeddwn yn clywed eu hateb nhw i'r claf. Yr ateb yn yr achos hwn oedd nad oes yna ddiafol – dim ond ffrwyth y dychymyg ydi o, ac wrth gymryd y tabledi

38

byddai'r lleisiau'n distewi, a byddai'r claf yn sylweddoli nad oedd rheswm iddi ofni.

Wrth wrando ar hyn fel Cristion, roeddwn yn gofidio, ac yn teimlo yr hoffwn gael sgwrs gyda'r person, dod i adnabod y person a gwybod beth oedd y cefndir. Un penwythnos, a minnau 'ar alwad', dyma nhw'n fy ngalw i gan ddweud bod y ferch yma mewn cyflwr cythryblus dros ben, ac a fyddwn i'n fodlon dod i mewn i siarad gyda hi a chynnig newid ei meddyginiaeth neu rywbeth o'r fath. Cofiaf ofyn iddi ddod i mewn i'm hystafell i gael sgwrs fechan. Soniodd wrthyf am y lleisiau, a wnes i ddim wfftio'r peth, ond dweud bod yr hyn yr oedd hi'n ei glywed yn swnio'n brofiad brawychus iawn. Wnes i gyfaddef wedyn mod i'n Gristion a mod i'n credu yng ngrym Satan, ond mod i'n credu bod Iesu Grist yn gryfach o lawer nag ef, ac nad oedd angen iddi ofni. Gwelai ar un waith, felly, mod i'n ei deall hi ac nad oeddwn yn meddwl ei bod hi'n dweud pethau gwirion. Roedd hi'n ddiolchgar iawn am hynny.

Wrth holi ei chefndir, dyma ddeall bod ei rhieni, pan oedd hi'n ddeuddeg oed, wedi troi'n ysbrydegwyr, a'u bod wedi mynd â hi i sawl seans a'i bod hi'n cofio'r llenni a'r lleisiau'n dod o'r byd arall. Aeth ymlaen i ddweud ei bod wedi byw bywyd afradlon a'i bod wedi gwneud llawer o bethau oedd yn anghywir a drwg. Ond yn ddiweddar, meddai, roedd hi wedi meddwl ac ystyried, ac nawr roedd arni eisiau bod yn dda, ac eisiau caru Duw. Deall wedyn ei bod hi wedi dechrau mynd i'r eglwys leol Anglicanaidd, a bod y lleisiau drwg wedi dechrau. Wrth eistedd yn gwrando ar ei phroffes, roeddwn yn gweddïo am ddoethineb i ymateb yn gywir fel meddyg a oedd yn atebol i feddyg arall a oedd eisoes wedi dweud wrthi nad oedd y diafol yn bod.

Gofynnais iddi a oedd hi'n sylweddoli bod yr hyn a wnaeth ei rhieni yn erbyn ewyllys Duw yn y Beibl, a phan gefais ateb pendant ei bod, awgrymais ei bod hi'n mynd i fyny'r grisiau i'r llofft a dweud wrth Iesu Grist bod yn ddrwg ganddi fod ei rhieni wedi mynd â hi i'r fath le, ac nad oedd arni hi eisiau mynd. Dweud wrthi wedyn am ofyn i Iesu Grist faddau iddi a'i rhyddhau oddi wrth unrhyw ddrwg-effeithiau. Arhosais innau yn fy ystafell a gweddïo o ddifrif ar i'r Arglwydd ei rhyddhau hi oddi wrth unrhyw ysbryd aflan a oedd wedi cael mynediad i'w bywyd. Wedyn cefais fy ngalw, gan y blîp, i ryw argyfwng rywle arall, ac aeth wythnos heibio cyn imi gael fy ngalw yn ôl i'r ward honno. Pan gyrhaeddais y ward, gofynnais am gael gweld y ferch, ond dyma nhw'n dweud ei bod wedi mynd adref. Gofynnais beth oedd wedi digwydd, a'r ateb a gefais oedd iddi ddweud wrth y meddygon fod gweddi wedi ei hiacháu hi. Aeth y nyrs ymlaen i esbonio:

'Dywedodd fod y lleisiau wedi peidio, ond y peth trist oedd hyn: wnaeth hi ddim cael *insight* hyd y diwedd, achos roedd hi'n mynnu mai llais y diafol oedden nhw a bod gweddi wedi'u gorchfygu nhw.' Wedi gadael yr ysbyty, mae'n debyg iddi fynd at y ficer a chael yr un ymateb â'r un a roddodd y meddygon, sef nad oes diafol yn bod. Roeddwn i'n awyddus i barhau i'w helpu hi, ond, yn broffesiynol, doedd dim modd imi wneud hynny.

Yn ystod y cyfnod hwn daeth tua phump o'r cleifion i gredu, ac fe welais i ac eraill newid mawr yn eu bywyd wrth weld bod pwrpas i'w bywyd wedi iddyn nhw dderbyn maddeuant. Rwy'n cofio un yn arbennig yn dod i mewn ac yn dweud, 'Dydw i ddim yn meddwl y gwnewch chi fy neall i gan fy mod i'n meddwl mod i yma oherwydd argyfwng ysbrydol yn hytrach nag argyfwng meddyliol.' Minnau wedyn yn ateb drwy ddweud fy mod yn credu fy mod yn deall yr argyfwng hwnnw. Wedi gofyn iddo ddweud mwy wrthyf, esboniodd fel hyn: 'Roeddwn i'n iawn a dim problem o gwbl, nes i 'ngwraig i gael tröedigaeth, a byth oddi ar hynny rwyf wedi bod yn teimlo'n ofnadwy – teimlad o euogrwydd mawr ac yn methu cysgu.' Ar ôl gwrando ar hyn i gyd, dywedais rywbeth tebyg i hyn: 'Fe wna' i roi dewis ichi – un ai rhoi cyffuriau ichi, er mwyn ichi deimlo ychydig bach hapusach, neu fe wna' i roi copi o Efengyl Ioan ichi ei gymryd i'w ddarllen.' Atebodd, 'Fe gymera' i Efengyl Ioan.'

Aeth yn jôc yn y pen draw pan ofynnodd Dafydd Alun, gan chwerthin, 'Pam fod yn rhaid iti gymryd fy nghleifion preifat i?

Wedi iti gynnig yr efengyl iddyn nhw, does arnyn nhw mo fy angen i ddim mwy. Pam na wnei di gadw at gleifion yr NHS? Gad lonydd i'm cleifion preifat i.'

Roedd cryn ddadlau yn ystafell y meddygon ar gyfrif fy ffydd Gristnogol, ac roedd rhai ohonyn nhw'n mwynhau fy herian. Er hynny bydden nhw'n galw arnaf weithiau, yn awyddus imi gynnig dôs o'm hefengyl i'r claf. 'Rydym ni wedi rhoi cynnig ar bopeth arall. Does dim byd yn tycio – problem euogrwydd sy'n ei boeni.' Minnau'n dweud nad ydi pethau mor syml â hynny gan fod yn rhaid i'r claf gredu cyn y bydd unrhyw beth yn digwydd. Eto cawn fy narbwyllo i roi cynnig arni, gan eu bod yn gofyn mor daer.

Wedi imi wneud rhywfaint o seiciatreg yn ysbyty Dinbych, daeth rhai o'r meddygon ataf a dweud fy mod yn hollol addas i'r maes. 'Fe ewch chi i'r brig yn gyflym. Felly fe ddylech chi wneud y cymwysterau pellach.' Ond doedd hynny ddim yn apelio ataf mewn gwirionedd, ac fe es at fy ngweinidog i geisio'i gyngor. Ar y pryd roedd pob math o bethau cynhyrfus yn digwydd yn yr eglwys leol, a rhywbeth a oedd yn groes i'r graen oedd y syniad o ganolbwyntio ar seiciatreg a seicoleg yn hytrach nag ar yr hyn roedd yr Ysbryd Glân yn ei wneud yn ein heglwys. Awgrymodd fy ngweinidog ein bod yn gwneud y pwnc yn fater gweddi, ac yn y man daeth yn ôl ataf a dweud po fwyaf roedd o'n gweddïo, mwyaf sicr yr oedd fod Duw eisiau i mi gael y cymwysterau a'i fod yn dweud y byddai cymwysterau o'r fath yn agor drysau i mi ryw ddydd na fyddai'n agor fel arall.

Gan fy mod wedi dweud wrth Dduw y byddwn yn gwrando arno ef drwy fy ngweinidog, roedd yn edifar gen i imi ddweud hynny pan gefais yr ymateb a'r anogaeth i anelu'n uwch yn fy ngyrfa. Erbyn heddiw rwy'n falch imi arbenigo fel hyn a dod yn aelod o'r Coleg Brenhinol Seiciatryddol, gan imi ddeall yn well beth sydd gan ddyn i'w gynnig.

5 Paratoad

Ydi'r sgiliau a ddysgoch chi wedi bod yn help yn ystod eich gyrfa chi wedyn?

Rywle, mae'n debyg, yn y cefndir: yn help imi ddeall p'run a oedd rhywun yn sâl, ac angen help meddygol ai peidio. Wrth weithio am gyfnod yn y Rhyl mewn gweinidogaeth i genhadon ac arweinyddion Cristnogol, gallwn ddweud pryd roedd rhywun yn sâl ac angen ffisig yn hytrach na chwnsela. Hefyd bûm yn helpu ymhellach ymlaen gydag Operation Mobilisation (OM), ac yn rhoi cyfweliad i bobl ifainc oedd eisiau mynd yn genhadon. Os oedd yna rywfaint o amheuon ynghylch ymgeiswyr, cawn fy ngalw i gwrdd â nhw yn y cynadleddau, a chael cyfle i'w holi ymhellach. Gwyddwn y byddai ambell un a oedd yn ansefydlog yn mynd yn dipyn salach pe bai ef neu hi yn mynd i'r maes cenhadol, ac roedd fy hyfforddiant yn help yn y cefndir ac yn rhoi mwy o hyder imi.

Fe wnes i ddwy flynedd o seiciatreg plant wedyn, gyda Joy, ond roedd yn waith anodd iawn. Mae yna gymaint o dyndra rhwng y gwahanol ddisgyblaethau, a chawn yr argraff fod llawer fel pe baent yn ceisio cystadlu yn erbyn ei gilydd a phrofi mai eu disgyblaeth nhw oedd yr un fwyaf effeithiol. Roedd cymaint o ffraeo'n digwydd cyn inni ddod yn agos at y claf, y canlyniad fu imi gael digon, a phenderfynu bod arnaf eisiau gwneud rhywbeth syml

42

ac anghymhleth. Dyna pryd es i'n feddyg ysgol a chlinigau plant, clinigau babanod a merched yn ardal Dyffryn Clwyd am ryw bum mlynedd.

Wnaeth y gwaith hwnnw roi boddhad i chi?

Roedd yn waith di-straen, ac roedd hi'n braf gallu asesu datblygiad ieithyddol plant bach Cymraeg y Dyffryn. Rwy'n cofio meddwl sut yn y byd y gallai meddygon a oedd yn dod o ben draw'r byd asesu plant bach cefn gwlad a phenderfynu sut iaith oedd ganddyn nhw. Tasg amhosibl. Roeddwn i'n falch, felly, fel Cymraes, o fod yn feddyg a allai helpu.

Eto i gyd, ers pan oeddwn yn fyfyriwr, fe wyddwn na fwriadwyd imi i aros yn y feddygaeth. Roedd arnaf eisiau gwneud gwaith Cristnogol llawn amser. Er fy mod o'r farn fod pob gwaith yn waith Cristnogol os ydych chi'n Gristion, roedd arnaf eisiau canolbwyntio'n fwy penodol ar waith y deyrnas. Felly fy nghwestiwn i Dduw o hyd ac o hyd oedd, 'Pryd, Arglwydd, pryd?' Roeddwn i wastad wedi disgwyl y byddwn yn gadael y feddygaeth yn fuan, ond fe'm cadwodd fi i mewn am dair blynedd ar ddeg. Erbyn hyn rwy'n diolch am y profiad yna, oherwydd pan wyf yn Affrica, er enghraifft, rwy'n dweud wrth bobl fel hyn: 'Rwyf wedi bod yn feddyg corff, ac rwyf wedi bod yn feddyg meddwl, ond bellach rwy'n gweithio i'r Meddyg gorau, sef Meddyg yr ysbryd a'r galon. Ac rwyf wedi cael argraff dda iawn o'r Meddyg hwn.' Wedi clywed hyn, mae'r bobl yn barotach i wrando arnaf ac yn ymddiried mwy ynof.

Fedrwch chi sôn wrthon ni am y drysau sydd wedi agor i chi?

Cefais air y byddai'n agor drysau i mi, ac fe ddigwyddodd hynny'n wir. Y drws cyntaf i agor oedd hwnnw a ganiataodd imi fynd i Liberia yn ystod y rhyfel cartref yno yn 1992 i helpu i hyfforddi cynghorwyr sut i gynorthwyo'r dioddefwyr. Wedyn, yn 1994, agorwyd drws imi fynd i Rwanda i gynnal gweithdai 'Iacháu

Dysgu seminar ar gwnsela yn Liberia yn 1992

Clwyfau Gwrthdaro Ethnig' gan ganolbwyntio'n benodol ar rôl yr eglwysi. Ar y pryd roedd y llywodraeth yn flin tuag at yr eglwysi ac yn dweud mai rhan o'r broblem oedden nhw ac na allen nhw fod yn rhan o'r ateb. Gwnaeth y llywodraeth ei gorau glas i geisio cau ein gweithdai ni a'n rhwystro rhag gwneud ein gwaith, gan ddweud mai dim ond y bobl a oedd wedi cael eu hyfforddi gan y Cenhedloedd Unedig oedd â chaniatâd i wneud y gwaith hwnnw. Wedyn roeddwn i'n dweud, 'Dysgu'r Beibl i Gristnogion rwy'n ei wneud, a dyma fy nghymwysterau i. Rwy'n seiciatrydd.' Oherwydd hynny, roedden nhw'n gadael imi fynd ymlaen â'r gwaith.

Beth, yn arbennig, yn eich cefndir wnaeth eich paratoi chi ar gyfer y gwaith presennol?

Rwy'n credu'n gryf fod pob profiad yn werthfawr ac nad oes unrhyw beth yn cael ei wastraffu. Wrth edrych yn ôl, gallaf weld sut roedd Duw yn defnyddio popeth a ddaeth i'm rhan. Hyd yn oed cyn ein geni, credaf fod Duw yn ein paratoi ni trwy ein personoliaeth a'r pethau y byddwn yn mwynhau eu gwneud wrth natur. Rwy'n credu bod Duw wedi ein cynllunio ni o'r dechrau, a phan ydym yn gwneud ewyllys Duw mae ef yn ein hasio ni â'r gwaith i'r dim, ac rydym ninnau'n cael y boddhad mwyaf. Dydw i ddim yn cytuno â'r athrawiaeth mai'r pethau nad oes arnom eisiau eu gwneud y mae Duw am inni eu gwneud. Mae Duw eisiau inni fwynhau gwneud ei ewyllys ef. Gwaetha'r modd, nid pawb sy'n ceisio ewyllys Duw ar gyfer eu bywydau, a chredaf fod llawer o botensial yn cael ei wastraffu.

Felly mae yna gymaint o bethau wedi fy mharatoi i ar gyfer y gwaith a ddaeth i'm rhan. Yn enwedig y profiadau a gefais wrth dyfu i fyny. Ar y pryd, roedden nhw'n brofiadau poenus dros ben. Wnes i erioed feddwl y byddai'r amser yn dod pryd y byddwn yn gallu edrych yn ôl a diolch am y profiadau hynny. Daeth cryn ddioddef i'n rhan fel teulu pan gymerwyd fy chwaer Gwenda yn ddifrifol sâl gyda'r frech goch pan oedd yn bedair oed. Doedden ni ddim yn deall, ar y pryd, ei bod hi wedi cael enseffalitis yn ogystal, sef llid yr ymennydd a achosir, gan amlaf, gan haint firol. Ar ôl hynny aeth bywyd yn gymysglyd iawn i Gwenda, ac roedd llawer o bethau nad oedd hi yn eu deall. Ninnau wedyn yn disgwyl cymaint ganddi hi, a neb yn sylweddoli bod ganddi'r anawsterau mawr yma, a bod bywyd yn andros o anodd iddi. Roedd pobl yn yr ysgol, weithiau, yn dweud pethau creulon dros ben wrthi: er enghraifft, bod ei hysgrifen yn flêr fel traed brain. Câi ei chyhuddo o fod yn ddiog, a hithau'n ymdrechu ei gorau glas.

Oherwydd hyn roedd rhwystredigaeth fawr ynddi hi, tensiynau a dicter at fywyd. Hefyd dechreuodd gael afiechyd meddyliol ar adegau ac roedd yn gythryblus dros ben. Bu yn yr ysbyty meddwl yn Ninbych dair gwaith, a hefyd mewn ysbyty meddwl yn Leeds pan ddaeth hi ataf fi unwaith, pan gafodd fy nhad drawiad ar y galon. Doedd yna neb i edrych ar ei hôl hi, felly daeth i aros ataf lle roeddwn yn helpu yn yr hostel Gristnogol. Roedd hi'n hapus am gyfnod yno, wedyn aeth yn wael yn feddyliol a chael ei rhoi mewn ysbyty meddwl yno. Tra oedd hi'n cael mynd i mewn i'r ysbyty hwnnw, dyma ddarganfod bod gen i TB. Minnau'n cael fy nghymryd yn ôl i Abergele i'r ysbyty, a Gwenda'n cael ei gadael yn yr ysbyty meddwl yn Leeds. Roedd hynny'n brofiad ofnadwy.

Roedd gwylio mam yn mynd yn fwy a mwy anabl, mewn poen bob dydd, yn brofiad anodd i ni. Roeddwn i'n caru mam yn fawr ac roeddwn i'n teimlo mor analluog i wneud dim. Teimlo baich gorfod trio helpu pawb a minnau'n aml yn digalonni. Hynny wedyn yn arwain at ofyn cwestiynau ynof fy hun a dechrau amau cariad Duw tuag atom. Roedden ni'n canu emynau am ddaioni Duw a chariad Duw, ond lle roedd hyn yn y Garreg Wen? Roedd cariad a daioni Duw yn teimlo'n real iawn pan oeddwn yn yr oedfaon, ond gartref doeddwn i ddim yn gweld llawer o dystiolaeth o hynny. Byddwn yn gweddïo ar i mam gael iachâd, gweddïo y byddai pethau'n newid gartref ac y byddai Gwenda yn dod yn hapus ac yn medru mwynhau bywyd, a chael tangnefedd yn ei chalon. Ond aeth pethau'n waeth ac yn waeth, ac yn y diwedd fe fu mam farw yn ystod fy mlwyddyn gyntaf fel meddyg.

Roedd amheuon yn codi ac roedd arnaf eisiau eistedd i lawr a dweud:

'Gwrandewch, dydw i ddim yn deall sut rydyn ni'n cysoni'r pethau yma.'

Ond roeddwn yn ofni siomi fy arweinyddion Cristnogol, ac yn meddwl bod pawb yn disgwyl imi fod yn Gristion buddugoliaethus. Roeddwn i, wrth natur, eisiau plesio pawb. Fi oedd wastad yn rhoi tystiolaeth ac yn arwain gweithgareddau, ond oddi mewn roedd llawer o boen a chwestiynau, a minnau'n eu mygu, er mwyn distewi'r hyn oedd tu mewn. Ar ôl imi adael y gwaith seiciatryddol a mynd i weithio fel meddyg mewn clinigau babanod, a gwneud gwaith bugeiliol rhan amser yn yr eglwys, roedd pobl yn credu bod gen i atebion i glwyfau'r galon gan mod i wedi astudio seiciatreg. I'r gwrthwyneb, doedd gen i ddim atebion i glwyfau fy nghalon fy hun. Felly, roeddwn i'n mynd i gynadleddau ac yn darllen llyfrau er mwyn gallu rhoi atebion i bobl, ond geiriau'n unig roeddwn i'n gallu eu rhannu â nhw.

Rwy'n cofio meddwl unwaith, 'Tybed a ydym ni o dan ryw felltith fel teulu?'

Teimlwn fod Duw yn ein herbyn ni, ac roedd yr unigrwydd yn cael ei danlinellu gan y ffaith mod i'n methu siarad am fy ngwir gyflwr gyda neb. Yn y cyfamser, roedd ciwiau o bobl yn dod ataf i geisio cymorth, a hynny ddydd a nos. Fe gymerais rai o'r achosion trwblus i mewn i'm cartref. Ond, wrth imi helpu mwy a mwy o bobl, roedd yr anialwch oddi mewn yn mynd yn waeth ac yn waeth. Roeddwn yn ymdrechu i helpu eraill, tra oeddwn i fy hun mewn diffeithwch a gwacter. Dyw hi ddim yn syndod, felly, imi gyrraedd y gwaelod fy hun yn y diwedd. Es yn sâl a chefais wlserau yn fy stumog ac roeddwn yn ddigalon iawn. Teimlwn mod i wedi cael digon, a chymerais dri mis allan o'm gwaith. Doeddwn i ddim am weld unrhyw un, ac fe wnes i grio llawer.

Yr adeg honno fe ddechreuais feddwl y dylwn i gael help. Roedd Duw yn ymddangos yn bell iawn pan oeddwn yn y llofft ar fy mhen fy hun. Roeddwn wedi clywed am Youth with a Mission (YWAM), ac roeddwn wedi bod yn rhai o'u cyfarfodydd, ac wedi cael fy nghyffwrdd gan eu dysgeidiaeth a'r ffordd roedden nhw'n gweinidogaethu i bobl. Roeddwn wedi clywed hefyd eu bod nhw'n rhedeg cyrsiau. Un o'u cyrsiau ydi 'Discipleship Training School', a'r arwyddair ydi 'adnabod Duw a chynorthwyo eraill i'w adnabod' ('to know God and to make Him known'). Maen nhw'n eich helpu chi i edrych ar beth rydych chi'n ei wybod oddi mewn am Dduw, nid beth rydych chi'n ei gredu yn ddiwinyddol, ond beth ydi'ch credo emosiynol chi am Dduw. Yna wynebu pethau dydych chi erioed wedi eu hwynebu o'r blaen. Roeddwn i'n rhyw feddwl y dylwn i fynd yno. Tra oedd hyn dan ystyriaeth, dyma ffrind yn fy mherswadio i fynd gyda hi ar encil dawel. Doeddwn i erioed wedi gwneud dim byd felly o'r blaen. Ymateb ffrindiau, pan glywson nhw am y bwriad, oedd dweud y byddai encil o'r fath yn fy lladd i, gan fy mod i mor hoff o siarad!

Ar ôl hanner awr roeddwn i wedi dweud popeth roedd arnaf eisiau ei ddweud wrth Dduw, ac roedd pum diwrnod ar ôl i fynd. Roeddwn i'n teimlo mor anghyffyrddus oherwydd roedd fy ngwaith wedi mynd, roedd fy ngeiriau wedi mynd a dim ond fi a'm Duw oedd ar ôl. Cefais fraw go iawn. Y Duw roeddwn i mor brysur yn ei wasanaethu, doeddwn i ddim yn ei adnabod. Roeddwn wedi clywed llawer amdano yn fy meddwl, ond oddi mewn doeddwn i ddim yn teimlo'n ddiogel. Doeddwn i ddim am ymagor iddo. Cymaint oedd fy mraw, y peth cyntaf wnes i ar ôl hynny oedd mynd i weld y gweinidog yn y capel, a dweud wrtho fod rhaid imi fynd i wneud cwrs gyda YWAM, a bod hynny'n allweddol bwysig imi. Roedd o'n synnu, gan ei fod o'n meddwl mod i'n Gristion buddugoliaethus. Minnau wedyn yn esbonio bod yn rhaid imi gael amser i ddeall fy nghalon fy hun, a mod i'n gwneud fy hun yn sâl yn ceisio helpu pobl eraill, heb atebion fy hun.

Yr wythnos honno fe ymddiswyddais o'm gwaith meddygol, a rhoi fy notis fel meddyg i mewn, ac anfon ffurflen gais i wneud y cwrs gyda YWAM. Gofynnais i Dduw ddangos imi beth oedd y broblem, a pham mod i'n cael y fath anhawster i ymddiried ynddo Ef.

Roedd yn benderfyniad go fawr ichi ymddiswyddo felly, on'd oedd?

Roeddwn wedi bod yn aros am y cyfle i wneud hynny ers blynyddoedd. Roedd pobl eraill, wrth reswm, yn ceisio fy annog i aros yn fy swydd. Ond dyna oedd yr amser iawn, a dyna yn sicr oedd amser Duw. Mae rhai pethau'n bwysicach na gyrfa.

Yn y cwrs gan YWAM roedden ni'n astudio personoliaeth a chymeriad Duw. Rhoddodd hynny gyfle inni geisio deall ychydig o'r hyn mae Duw ei hun yn ei deimlo a'r hyn mae Ef yn ei feddwl.

Dyna'n union oedd ei angen arnaf a dweud y gwir, oherwydd yr adeg honno roeddwn i'n sylwi mod i'n amau llawer ac yn gweld Duw mwy fel rhyw Pharo, sef rhyw dasg feistr caled a dideimlad. Gwelwn Dduw oedd yn gofyn i mi wneud brics a mwy o frics, a gwneud brics heb wellt. Disgwyliai fwy a mwy oddi wrthyf, ac rwy'n cofio'n glir y diwrnod y daeth hyn i gyd i'r wyneb.

Cawsom ddysgeidiaeth ar ofnau, a chan fy mod yn berson reit ofnus fe ofynnais i am weddi, gan gyffesu llawer o ofnau. Ond roedd un ofn y byddai'n rhaid i mi, yn ôl yr un a oedd yn ein dysgu, gymryd amser uwch ei ben, a pheidio â rhuthro o gwbl na delio ag ef mewn ffordd arwynebol. Yr ofn hwnnw oedd yr ofn anghywir o Dduw. Nid yr ofn Duw sy'n ofn sanctaidd ac yn ofn hyfryd, ond bod yn ofnus o Dduw. Roedd rhywbeth yn canu cloch ynof i, ac fe es i at un o'r arweinyddion a dweud mod i'n meddwl bod hynny'n berthnasol i mi, ond nad oeddwn yn deall pam. Dywedodd yr arweinydd y dylem adael i'r Ysbryd Glân roi goleuni inni ar hynny. A thra oeddem yn sefyll yno, dyma adnod yn dod i'm meddwl sef: 'Deuwch ataf fi bawb a'r y sydd yn flinderog ac yn llwythog, a mi a esmwythâf arnoch.' 'Dyma fi', oedd f'ymateb innau. 'Fel yna'n union rwy'n teimlo.' Wedyn mae Iesu Grist yn mynd ymlaen i ofyn i ni gymryd ei iau ef arnom ni: 'Canys fy iau sydd esmwyth, a'm baich sydd ysgafn.' Fy ymateb innau oedd teimlad o ddicter oddi mewn, achos y gwrthwyneb roeddwn i'n ei deimlo. 'Baich ysgafn! Iau esmwyth! Dyna jôc.'

Dechreuais grio, a dyma'r arweinydd yn gweld bod rhywbeth yn digwydd, a gofynnodd imi ddechrau siarad yn uchel. A'm hymateb innau oedd: 'Pam mae o'n dweud bod ei faich yn ysgafn a'i iau yn esmwyth? Nid hynny fu fy mhrofiad i.' Ymateb yr arweinydd oedd fy annog i siarad, gan ei fod yn gweld bod llawer o boen y tu mewn imi. Y peth nesaf a ddywedais oedd hyn: 'Pam ei fod o wedi gadael i mam fynd drwy'r dioddef ofnadwy yna, a gadael i Gwenda fy chwaer gael ei niweidio gan ddiffyg deall pobl o'i chwmpas? Pam mod i, fel meddyg, wedi gorfod ymladd i geisio achub bywydau pobl, a'u gweld nhw'n marw? Pam fy mod i, fel seiciatrydd, yn gorfod gweld rhai pobl – rhai roeddwn i wedi tosturio wrthyn nhw a cheisio fy ngorau glas i'w helpu – yn dal i fod mewn gwewyr meddwl, ac ambell un hyd yn oed yn cyflawni hunanladdiad? Ac wedyn yr holl bobl â phroblemau sydd eisiau fy help, yr holl amser; ac mae Duw yn *ymfalchïo*, rwy'n meddwl, wrth wneud bywyd yn anodd i mi, ac fel pe bai'n disgwyl gyda baich arall i'w roi ar fy ysgwyddau i o hyd. Ac rwyf wedi cael digon, digon.'

Cefais sioc mod i wedi ymateb fel hyn oherwydd roeddwn i wastad wedi ymddwyn yn gwrtais gyda Duw. Doeddwn i erioed wedi dweud pethau fel hyn wrtho o'r blaen. Roedd y cysyniad o Dduw a oedd gen i yn nyfnder fy mod fel darlun o unben creulon a ymhyfrydai mewn gwneud bywyd yn anodd i mi, a phwy yn ei iawn bwyll fyddai eisiau bod yn agos at unben o'r fath? Dyna pam nad oedd arnaf lawer o awydd i weddïo na bod yn ei gwmni am amser hir. Rŵan roedd pethau'n dechrau gwneud synnwyr.

Gofynnodd a oedd yna unrhyw beth yr hoffwn i ei ddweud wrth Dduw. Atebais, 'Wel, dyma fi. Dyma'r unig beth y gallaf ei ddweud. Rwy'n gweld bod y Cristion neis yma yn andros o flin y tu mewn. Mae fy nghalon yn llawn o gyhuddiadau yn erbyn Duw, ond dyma lle rwyf arni go iawn. Os nad un tebyg i Pharo ydi Duw, rwy'n gofyn iddo ddangos hynny i mi, a rhoi datguddiad i mi, a'm hargyhoeddi ei fod yn wahanol.' Hefyd fe wnes i addewid neu ymrwymiad y byddwn yn astudio'r Ysgrythurau er mwyn gweld beth roedden nhw'n ei ddweud am bersonoliaeth Duw ac am ei galon a'i deimladau.

Roedd y flwyddyn honno, wedyn, fel llyfr yn agor yn raddol a llawer o bethau'n gwneud synnwyr. Un o'r darganfyddiadau mwyaf arwyddocaol oedd hyn: sylweddoli mod i wedi credu, tan hynny, fod popeth sy'n digwydd yn y byd yn rhan o ewyllys weithredol Duw. Dydw i ddim yn credu hynny bellach. Drwy'r holl bechodau a'r holl ddioddef sy'n bod oherwydd pechod dyn, rydym wedi gwneud llanast o gread Duw, a dydi'r byd, y rhan fwyaf o'r amser, ddim fel y byddai Duw eisiau iddo fod. Dydi ewyllys Duw ddim yn cael ei gwneud ar y ddaear, a dyna pam y mae Iesu Grist yn gofyn i ni weddïo ar i ewyllys Duw gael ei gwneud ar y ddaear fel y mae'n cael ei gwneud yn y nefoedd. Dydi'r holl anghyfiawnder yma ddim yn bodoli yn y nefoedd.

Clywais bregeth a wnaeth argraff ddofn arnaf. Brodor du o Zimbabwe oedd yn pregethu, a'i destun oedd 'The Heartbreak of the Godhead'. Genesis 6, adnodau 5 a 6 oedd ei destun, ac yn yr adnodau hynny fe ddarllenwn am Dduw yn edrych ar y ddaear ac yn gweld yr holl bethau drwg, a'i galon yn llenwi â phoen. Meddai'r brodor o Zimbabwe, 'Os oedd calon Duw yn llawn o boen yr adeg honno, beth tybed y mae Duw yn ei deimlo heddiw?' Dywedodd fod gan ddyn bob math o ddyfeisiadau i'w amddiffyn rhag poen, ond nad ydi hynny'n bosibl i Dduw sy'n berffaith. Cefais ysgytiad wrth feddwl am hynny, ac rwy'n cofio cerdded allan gan feddwl, 'Os ydi hyn i gyd yn wir, mae'r sylweddoliad yma yn mynd i newid fy agwedd yn llwyr tuag at fywyd, ac yn enwedig tuag at Dduw.' Wedi hynny, fe astudiais yn helaeth a gweld – er enghraifft, yn llyfrau'r proffwydi – nad ydi ewyllys Duw yn cael ei gwneud, a bod Duw o'r herwydd yn ymbil â'r ddynoliaeth, drwy ei broffwydi, er mwyn i'w ewyllys gael ei gwneud ar y ddaear. Darllenais hefyd, yn Eseia 63:9: 'Yn eu holl gystudd hwynt efe a gystuddiwyd' ('In all their distress he too was distressed'). Felly, yn ôl yr adnod hon, y mae Duw yn teimlo ac yn cydymdeimlo â phob trasiedi ddynol, gan deimlo'r boen.

Wedyn roeddwn i mewn argyfwng arall, yn yr ystyr mod i rŵan yn gofyn a oedd yr holl ddioddef wedi cael ei wastraffu. Er imi gael cymorth o wybod nad oedd Duw wedi bod yn brysur yn y nefoedd gyda'i gyfrifiadur yn rhaglennu i'n teulu ni fynd drwy gymaint o bethau trist ac anodd, gofynnwn serch hynny a oedd y dioddef wedi cael ei wastraffu. Fedrwn i ddim dygymod â'r syniad hwnnw. Doedd o ddim wedi cynllunio hynny i gyd, ond yn hytrach roedd yn fwy na hynny i gyd, a chanddo Ef y mae'r gair olaf. Gwelais, yn raddol, ei fod ar y groes wedi prynu yn ôl (y gair Saesneg ydi 'redeem') yr holl ddioddefaint yna, fel y gallwn, os dewiswn, ddod allan yn fuddugol. Mae hynny'n beth holl bwysig i mi ei wybod, a fyddwn i byth wedi gallu mynd i Rwanda pe na bawn yn gwybod hynny ac yn brofiadol o'r gwirionedd hwnnw.

Fel rhan o'r broses o sylweddoli'r gwirionedd canolog hwn yn fy mywyd, fe ddigwyddodd un peth a olygodd lawer i mi yn ystod y cwrs, ac fe hoffwn yn awr rannu'r digwyddiad hwnnw. Un bore daeth y ferch oedd yn arwain ein grŵp bach ni ataf adeg brecwast a dweud i Ysbryd Duw ei deffro hi y bore hwnnw, a'i bod hi eisiau dweud hyn wrthyf i: 'Fe fues i am ddwy awr yn eiriol drosot ti, ar fy wyneb ar lawr y llofft, yn gweddïo a gweddïo ar iti gael goleuni a thorri drwodd. Rwy'n sicr bod Duw yn mynd i wneud union hynny i ti, a'i fod wedi rhoi gair i mi. Wn i ddim os ydi hyn yn gwneud synnwyr i ti: "I fy mhlant i, does yna ddim dioddefaint yn wastraff. Ond drwy'r dioddefaint fe allaf i greu aur".'

Aeth ymlaen i esbonio fy mod i yn gweld pethau o safbwynt amser ond ei fod Ef yn gweld pethau o safbwynt tragwyddoldeb. Rhoddodd hyn dangnefedd mawr i mi, a hynny ar unwaith, yn enwedig wrth i mi feddwl am mam, achos fe welais yr aur hwnnw ynddi hi cyn iddi farw. Roedd yna harddwch wedi dod i'w rhan, a doedd yna ddim chwerwder o gwbl ynddi hi. A phan ddywedais wrthi hi i fy mod yn siomedig am nad oedd Duw wedi gweld yn dda i'w hiacháu hi, ei hymateb oedd: 'Peidiwch â gwylltio gyda Duw, oherwydd mae Dduw wedi fy iacháu i oddi mewn, ac mae hynny'n bwysicach o lawer.' Bu farw yn dangnefeddus ac yn ymddiried yn yr Arglwydd; roeddwn i, ar y llaw arall, wedi teimlo'n ddig ar ei rhan hi. Felly, wrth edrych yn ôl a meddwl amdani'n marw, fe sylweddolais fy mod wedi gweld yr aur yna ynddi hi. Ac os ydi'r aur yna yn disgleirio yn nhragwyddoldeb rŵan, rwy'n hapus; rwy'n deall amcanion Duw yn hyn o beth, ac mae hynny wedi gwneud byd o wahaniaeth.

Hoffwn ddychwelyd nawr at yr adeg pan oeddech yn dilyn y cwrs dan ofal Youth With a Mission (YWAM). Beth arall a ddysgoch chi bryd hynny?

Yn ystod y cyfnod dan sylw, wedi imi sylweddoli bod yr holl

gyhuddiadau yn fy nghalon i, byddwn yn gofyn i'r Arglwydd bob bore i ddatguddio ei hun i mi a dweud wrthyf beth yr oedd ef yn ei deimlo a'i feddwl. 'Rhaid imi d'adnabod di. Rwyf wedi blino ar chwarae gemau crefyddol. Mae arnaf eisiau gwybod beth ydi realiti a phwy ydi fy Nuw i. Rwyf eisiau bod yn sicr o'm Duw.' Dyna oedd fy ngweddi bob dydd, a hynny am wythnosau a misoedd. Felly roeddwn wedi dod i'r fan lle gallwn ymddiried yn amcanion calon Duw. Brawddeg fawr, mewn perthynas â dioddefaint ein teulu ni, oedd hon: 'I didn't choose it, but I can use it.'

Y peth anodd i mi oedd gweld Gwenda yn dal i ddioddef ac yn dal i gael llawer o anhapusrwydd a dicter. Roeddwn i'n gwybod bod y teimladau hyn yn dod o'r briwiau ofnadwy lle roedd hi wedi cael ei chamddeall a'i cham-drin pan oedd hi'n blentyn. Roedd hynny'n anodd, a bu'n rhaid imi ddechrau dysgu bod Duw yn gallu prynu'n ôl y dioddef, a'i droi er daioni, cyn imi weld y ffrwyth yn Gwenda. Mae'r tair blynedd diwethaf yma wedi rhoi llawenydd mawr imi, wrth imi weld mwy o hapusrwydd a mwy o dangnefedd ym mywyd Gwenda nag y mae hi erioed wedi ei gael o'r blaen. Gallaf weld bod Duw yn ei defnyddio hi i fendithio bobl eraill, ac mae sawl un wedi dweud hynny wrthyf. Er enghraifft, dywedodd cyn-arweinydd yng nghapel Gwenda hyn wrthyf: 'Your sister is such a blessing to us in the church. She contributes so much'. Yn wir, mae llawer o bobl wedi dweud cymaint o fendith ydi Gwenda iddyn nhw, a'u bod wrth eu bodd yn ei gweld hi'n addoli. Ymwelodd gwraig â'i heglwys yn ddiweddar, ac fe ysgrifennodd lythyr at y gweinidog wedyn. Rhoddodd y gweinidog y llythyr i Gwenda wedyn, ac mae'r llythyr yn dweud mai'r fendith fwyaf a gafodd yr ymwelydd oedd y croeso a roddodd Gwenda iddi a'i gweld yn mwynhau addoli. Roedd hyn i gyd yn beth gwych i mi, a gallwn weddïo: 'Wnei di, O Arglwydd, hyd yn oed brynu *hynna*?' Felly, er gwaethaf salwch Gwenda a'r pethau anodd eraill, gallwn ddiolch wedyn fy mod wedi bod drwy ymdrech a thywyllwch, tra oeddwn yn gofyn y cwestiynau mawr. A'r cyngor a gawn gan y rhai oedd yn fy helpu oedd imi fod yn agored ac yn onest gyda'm Duw.

Rhiannon a Gwenda

Cawn fy nghymell i fynd allan i'r caeau ac, os oedd yna ddicter, i ddweud hynny wrtho. 'Mae Duw yn ddigon mawr i wrando ar yr hyn sy'n dy dristáu. Siarada yn uchel â Duw a dywed beth sydd ar dy galon di, achos dyna'r unig ffordd y mae Duw yn mynd i allu rhoi atebion i'r cwestiynau, a siarad â thi.'

Yn ystod yr amser tywyll, roedd rhaid imi wynebu llawer o amheuon. Dros rai wythnosau fe gollais bob sicrwydd o bresenoldeb Duw. Ac fe ddes i'r fan lle roeddwn hyd yn oed yn amau a oedd Duw yn bod. Meddyliais fel hyn: 'Un ai dydi Duw ddim yn bod, neu dydi o i ddim yn malio. Mae hi'n haws credu mewn Duw nad yw'n bod na chredu mewn Duw nad yw'n malio dim am ddioddefaint y ddynoliaeth.' Erbyn hyn, rwy'n hynod o falch mod i wedi mynd drwy'r ymdrech – wedi wynebu pethau, crio llawer, mynegi llawer o ddicter ac ymroi i astudio'r Beibl.

Wedi'r cwrs 'bod yn ddisgyblion' fe es yn ôl i wneud cwrs pellach tri mis, dan drefniadaeth YWAM, ar gynghori Beiblaidd. Ystyr y cwrs oedd nad fi oedd yn dysgu sut i fod yn gynghorwr; yr Ysbryd Glân oedd yn agor pethau yn yr Ysgrythurau i mi. Yn ystod y cwrs, roedd rhaid inni ysgrifennu traethawd syml gan gymryd pwnc oedd yn berthnasol i ni. Roedd rhai yn cymryd pwnc fel gwrthodiad yn hanes Dafydd neu Joseff, ond teimlwn fod yn rhaid i mi gymryd y pwnc o gyhuddo Duw, gan ddilyn y thema honno drwy'r Ysgrythur. Sylwais fod dyn wedi cyhuddo Duw o'r dechrau un, a'r hyn y mae dyn yn cyhuddo Duw ohono dro ar ôl tro ydi nad ydi Duw yn malio. Dyna oedd cyhuddiad plant Israel yn yr anialwch. 'Dim digon o ddioddef yn yr Aifft. Dyna pam, Dduw, rwyt ti wedi dod â ni yma i ddioddef mwy fyth': geiriau yn llawn sinigiaeth, ac yn llawn amheuaeth o fwriadau Duw. Bob tro y deuen nhw yn erbyn problem, yn hytrach nag atgoffa eu hunain am adegau o ffyddlondeb Duw tuag atyn nhw yn y gorffennol, roedd y nodyn llawn dicter yn dod i'r wyneb – amau bod Duw yn eu herbyn nhw. Enghraifft arall oedd Naiomi yn dweud ei bod am i bobl ei galw yn Mara yn hytrach na Naiomi, gan fod Duw wedi rhoi bywyd anodd iddi hi. Yn llyfr Malachi, pan mae Duw yn dweud ei fod wedi caru'r bobl, maen nhw'n ymateb drwy ddweud 'Wel, pryd felly?' Gwelais fod nifer o bobl wedi amau trwy'r Ysgrythur.

Gweddi arweinyddion y cwrs tri mis oedd y byddai'r cwrs yn newid ein calonnau mewn ffordd brofiadol yn hytrach na rhoi dim ond syniadau damcaniaethol yn ein pennau. Roedden nhw'n awyddus inni brofi presenoldeb yr Ysbryd Glân wrth wneud yr astudiaeth.

Pan ddechreuais astudio'r Testament Newydd, gwelais fod yr holl gyhuddiadau yn codi momentwm ac yn cyrraedd rhyw fath o uchafbwynt. Gwelais y bobl yn edrych am reswm i gyhuddo Iesu Grist, ac y byddai unrhyw reswm wedi gwneud y tro, achos roedd y cyhuddiad eisoes yn y galon. Roedd hyd yn oed y disgyblion yn y cwch, pan oedd y wyrth o borthi'r pum mil newydd gael ei chyflawni, yn llawn amheuaeth o fwriadau'r Arglwydd. Eu neges iddo oedd, 'Dwyt ti ddim yn hidio, dwyt ti ddim yn hidio.'

Roeddwn i'n dod wedyn at y man yn yr hanes lle mae Peilat yn gofyn beth mae Iesu Grist eisiau ei ddweud yn wyneb yr holl gyhuddiadau yma, ac ni ddywedodd air. Pam na wnaeth e ateb? Dyma pryd y sylweddolais o'r newydd fod Iesu Grist wedi dod i'r byd a chael ei groeshoelio er mwyn cymryd y cyfrifoldeb am y llanast i gyd. Roedd dynolryw i gyd yn mynd i bwyntio bys at Dduw a dweud: 'Rwyt ti'n euog ac rwyt ti'n haeddu marw. Arnat ti y mae'r bai am bob dim.' Ac Iesu Grist yn dweud: Dyna pam y des i i'r byd, er mwyn cymryd y bai. Felly, wrth feddwl am yr holl bethau yr oeddwn i wedi bod yn cyhuddo Duw ohonyn nhw, roedd Iesu Grist yn dweud fod popeth yn iawn am ei fod ef yn cymryd y bai. Cefais ddarlun ohonof fy hun yn mynd i fyny Mynydd Golgotha a 'nghalon i'n llawn o gerrig i'w taflu achos roedd y cyhuddiadau yma oddi mewn. Roedd hyn i gyd yn gymaint o sioc, mai ateb Duw i holl gyhuddiadau dynolryw ydi gwneud ei hun yn hollol agored a 'vulnerable' i'r cyhuddiadau, drwy ddweud y gwnaiff Ef, yn Iesu Grist, gymryd y bai. Pan glywais hynny fe deimlais fy nghalon yn ymateb fel hyn: 'Dwyt Ti ddim yn euog, dwyt Ti ddim yn euog.'

Roedd llawer doeddwn i ddim yn ei ddeall yr adeg honno. Doeddwn i ddim yn deall y rhesymau ond roeddwn yn gwybod nad Duw oedd ar fai am y llanast i gyd. Gwnaeth y ffaith i Iesu Grist fynd i'r groes i gymryd y baich i gyd orchfygu fy arfogaeth a thorri fy nghalon, gan wneud imi ymateb drwy ddweud mod i'n ei garu ac nad oedd arnaf eisiau newid dim yn Nuw yn awr. Roedd y cyfan wedi creu argraff fawr arnaf, a gallwn ddweud mod i'n caru'r Gwaredwr.

Erbyn diwedd y flwyddyn honno, roedd gen i Dduw gwahanol iawn i'r Duw oedd gen i ar ddechrau'r flwyddyn, Duw y gallwn ei edmygu â'm holl galon. Roedd gweld yn gliriach galon ac amcanion calon Duw yn ddigon i mi, a bod Duw o'n plaid yn hytrach nag yn ein herbyn. Roeddwn yn gwybod yn sicr nad oedd Duw wedi meddwl un meddwl anghariadus tuag at fy nheulu ar unrhyw adeg – nid am chwarter eiliad. Duw sydd o'n plaid ni ydi Duw y Beibl ac nid Duw sydd yn ein herbyn.

Roedd hyn wedi bod yn brofiad oedd yn baratoad pwysig i'r gwaith cymodi sydd wedi dilyn. Oedd yr hyn a ddysgoch chi yn uniongyrchol berthnasol wrth helpu yn y sefyllfaoedd anodd yn Rwanda a lleoedd tebyg? Oedd eich profiad o nos dywyll yr enaid yn help i bobl eraill sy'n dioddef?

Rwy'n credu mai rhannu'r hanes yma ydi un o'r pethau mwyaf effeithiol y gallaf ei wneud, nid yn unig yn Rwanda ond yn y wlad hon hefyd. Cefais wahoddiad dros ddeng mlynedd yn ôl i siarad am y profiad, a hynny mewn cynhadledd genedlaethol, flynyddol, i Gristnogion yn y Proffesiynau Gofal (Christians in the Caring Professions). Recordiwyd y sgwrs, ac rwy'n dal i glywed gan bobl ac yn dod ar draws pobl sydd wedi gwrando ar y tâp hwnnw, ac sy'n dweud eu bod wedi gallu caru Duw ac ymddiried ynddo, mewn ffordd nad oedden nhw erioed wedi ei dybio, ers iddyn nhw glywed fy neges fach. Ac mae 'na eneiniad arbennig pan caf gyfle i rannu fy mhrofiad ar y pwnc hwnnw, o ddod o'r lle o gyhuddo Duw i'r lle y gallaf ddweud mod i'n caru Duw a'i edmygu â'm holl galon. Mae Salm 51 yn dweud bod Duw eisiau canfod y gwirionedd yn ddwfn oddi mewn: 'Wele, yr wyt yn dymuno gwirionedd oddi mewn; felly dysg imi ddoethineb yn y galon' (adnod 6); 'in the inward parts . . .'; 'in one's guts' fel petai.

6 Drysau'n agor

Rhaid eich bod wedi cael arweiniad arbennig, Rhiannon, i fynd i le mor anodd?

Dydw i ddim yn ei chael hi'n hawdd i wybod beth mae Duw yn ei ddweud. Chefais i ddim arweiniad dramatig. Ambell waith, mae pobl wedi dod â neges imi oddi wrth Dduw, a minnau'n teimlo nad oedd y neges honno'n gwneud unrhyw synnwyr ar y pryd. Mewn un gynhadledd rai blynyddoedd yn ôl, daeth un o'r arweinwyr ataf a dweud ei fod wedi gweld darlun yn ei feddwl o delyn, a chredai fod Duw yn dweud wrthyf i: 'Rwyt ti'n delyn, ac mae arnaf eisiau chwarae tôn arnat ti, ond nid *Hen wlad fy nhadau* ydi'r dôn, ond tôn ryngwladol.'

Doedd hynny ddim yn gwneud synnwyr o gwbl imi ar y pryd, ond penderfynais, os mai neges oddi wrth Dduw oedd honno, y byddwn yn sicr o ddeall ei hystyr yn y man. Cefais negeseuon eraill hefyd: er enghraifft, bod ffrwyth yn mynd i ddod o'm gweinidogaeth na fyddwn i byth yn ei ddychmygu.

Yn bersonol rwyf wrth fy modd yn teithio a mynd i wledydd eraill, a byddaf yn teimlo yn llawn cynnwrf mewn awyrenfa. Gallaf gofio adegau pan deimlais fod Duw yn dweud yn ddistaw bach y byddwn yn teithio llawer ryw ddydd yng ngwaith y deyrnas, ond ni wyddwn sut. Wedi baglu ar ewyllys Duw ydw i, fe fyddwn i'n

58

dweud. Pan oedd pobl yn sôn am wneud y cynllun pum mlynedd ac yn y blaen, pe bawn i wedi eistedd a gwneud hynny, byddwn wedi cael y cynllun yn anghywir, achos roeddwn i'n meddwl mod i am weithio gyda phobl ar gyffuriau ac ati. Ond nid hynny oedd ewyllys Duw o gwbl. Felly, arweiniad i mi oedd un peth yn arwain i'r llall yn hollol naturiol.

Fedrwch chi roi enghraifft o hynny?

Roeddwn wedi bod yn feddyg clinigau babanod, ac fe ddarllenais erthygl yn dweud eu bod nhw'n chwilio am bobl yn Rwmania i roi hyfforddiant i'r rhai a oedd yn cymryd y plant allan o'r cartrefi amddifad ofnadwy a oedd yno. Natur y gwaith fyddai dirnad pwy oedd yn blant anabl, er mwyn i'r gweithwyr wybod sut i weithredu, ac estyn y cymorth angenrheidiol i'r rhai a oedd ag anghenion arbennig. Fy ymateb oedd dweud y gallwn gyflawni'r gwaith, gan fy mod eisoes wedi gwneud gwaith gyda babanod yn Nyffryn Clwyd am bum mlynedd. Ond gan nad oeddwn yn gyfarwydd ag enw'r mudiad a oedd y tu cefn i'r erthygl, fe benderfynais ffonio mudiad YWAM a oedd yn gwneud gwaith tebyg yn Rwmania. Roedd yn well gen i ystyried gweithio gyda mudiad yr oeddwn yn deall ei egwyddorion ac yn gyfarwydd â'i ddulliau. Felly fe ffoniais y ganolfan yn Harpenden, dweud beth oedd fy nghefndir a'm hyfforddiant, a gofyn tybed a oedd arnyn nhw angen fy help i gyda thimau a oedd yn mynd i mewn i Rwmania. Galwyd seicolegydd clinigol i siarad â mi, a phan ges i sgwrs gydag o dyma ddeall bod y timau a oedd yn gwasanaethu'r wlad honno yn llawn. Ond aeth ymlaen i ddweud bod arnyn nhw fy angen i yn Liberia. 'Liberia? Bobl bach! Dydw i erioed wedi clywed am y wlad! Ble mae hi?'

'Gorllewin Affrica.'

'Dydw i erioed wedi ystyried mynd i Affrica. A pham mae arnyn nhw eisiau rhywun o'm cefndir i yno?'

'Wel, mae 'na ryfel cartref ofnadwy yno.'

'Rhyfel! Dydw i ddim am fynd i wlad lle mae rhyfel. Does gen i ddim cynlluniau i wneud hynny.'

'Ond mae arnom ni angen pobl fel chi, ac mae tîm yn mynd i mewn yn fuan dan nawdd Medair, asiantaeth cymorth Cristnogol sydd wedi tyfu allan o YWAM. Maen nhw'n chwilio am bobl a allai hyfforddi staff cartrefi plant amddifad a chynghorydd i helpu pobl sydd wedi mynd drwy brofiadau trawmatig.'

'O na! Nid fi. Nid fi,' oedd fy ymateb cyntaf.

Ond doedden nhw ddim am fy ngollwng yn rhwydd. 'Meddyliwch a gweddïwch am y peth. Fe wnawn ni siarad eto am hyn ymhen ychydig ddyddiau.'

Fe ymdrechais am dri mis cyn imi ddweud y byddwn yn mynd. Yr hyn a oedd yn mynd drwy fy meddwl oedd hyn: pe bawn yn mynd yno, efallai na fyddwn i'n dod adref. Doeddwn i ddim eisiau marw eto, ac roedd ynof ymdeimlad o ofn a theimlad nad oeddwn i ddim wedi gwneud digon yn fy mywyd cyn mentro i le a allai gostio fy mywyd.

Hefyd doeddwn i ddim yn teimlo y byddwn yn deg tuag at Gwenda, fy chwaer, pe bawn yn mynd i le peryglus. Cefais ymdrech go iawn, ac ar ddiwedd y tri mis sylweddolwn ystyr yr emyn 'Yn dy law y mae f'amserau, / Ti sy'n trefnu 'nyddiau i gyd'. Cawn fy hun yn siarad â Duw gan ddweud bod fy mywyd yn eiddo llwyr iddo ef, ac mai ef yn unig oedd â hawl i ddweud beth oedd hyd fy mywyd i fod. Darllenais *God Holds the Key* gan Geoffrey T. Bull, ac fe wnaeth y llyfr hwnnw argraff ddofn ar fy meddwl. Bu'r awdur yn garcharor yn Tsieina yn ystod y chwyldro comiwnyddol yn y wlad honno, a doedd ganddo ddim syniad o ddydd i ddydd pa bryd y byddai ei fywyd yn cael ei derfynu. Gallai'r diwedd fod wedi cyrraedd unrhyw ddiwrnod, am a wyddai ef yn ei gell. Mae pennod yn ei lyfr yn trafod yr apwyntiad: 'It is appointed unto men once to die' (Heb. 9:27). Wrth drafod yr apwyntiad, dywedodd ei fod yn teimlo bod rhai pobl wedi byw bywydau rhy fyr, ond bod rhai Cristnogion wedi byw bywydau rhy hir, oherwydd pan ddaeth yr her yn eu bywyd fe gilion nhw yn ôl. Dywedodd y dylai rhai fod wedi bod yn ferthyron yn hanes y deyrnas ond, oherwydd eu bod yn caru eu bywydau eu hunain gymaint, eu bod wedi colli'r apwyntiad.

Felly y deuthum i gytundeb â Duw. 'Ti, O Dduw, sy'n mynd i ddewis pryd y byddaf yn marw. Does arna' i ddim eisiau marw ddiwrnod yn rhy fuan na diwrnod yn rhy hwyr chwaith.'

Cefais yn ogystal sicrwydd dyfnach o lawer fod Duw yn caru Gwenda lawer iawn mwy nag yr oeddwn i yn ei charu; ac roeddwn i yn ei charu, nesaf at Iesu Grist, yn fwy nag y carwn unrhyw un arall yn y byd i gyd. Felly, gan fod Duw yn ei charu lawer mwy na mi, gallwn ymddiried na fyddai'n gadael i ddim byd ddigwydd i mi os na fyddai'n gweithio allan er budd ac er lles i Gwenda. Unwaith yr oeddwn i wedi setlo hynny, fe gefais dangnefedd.

Felly fe euthum i weithio am chwe wythnos yn Liberia, o dan adain Medair, yng nghanol cyfnod o gyflwyno cyrsiau yn y Rhyl i weithwyr Cristnogol a oedd yn eu helpu i ddatrys y pethau y tu mewn iddyn nhw a oedd yn eu poeni. Roedd gen i chwe wythnos yn rhydd rhwng y cyrsiau, a dyna pryd es i i weithio y tro cyntaf yn Liberia, a syrthio mewn cariad ag Affrica. Yng nghanol yr holl lanastr, y dioddef a'r pechod, gwelais Gristnogion hardd a oedd yn addoli ac yn ymddiried âu holl galon. Gwelais fod ganddyn nhw rywbeth mawr i'w ddysgu i ni yn Ewrop.

Dychwelais i Liberia wedyn yn ddiweddarach am wyth wythnos, gan weithio llawer gyda'r eglwys yn ystod fy amser rhydd. Fy ngwaith swyddogol oedd rhedeg cyrsiau ar ffurf seminarau i staff cartrefi plant amddifad ac yn y blaen. Yna, yn ystod fy amser sbâr, cefais gyfle i gyfarfod gweinidogion ac arweinwyr ieuenctid, a dyna weithgaredd a oedd wrth fy modd: eu helpu nhw i weld beth sydd gan y Beibl i'w ddweud am yr hyn a brofon nhw, ac am iacháu briwiau'r galon. Roedd cymaint yn erfyn am gymorth: 'Plîs, plîs fedrwch chi ddod i'n capel ni? Rydym ni am wybod sut mae Duw yn gallu iacháu'r galon friwedig.' Roeddwn i wrth fy modd.

Cefais brofiadau bythgofiadwy eraill yn Liberia. Tra oeddem yno daeth y llywodraeth atom fel elusen Gristnogol a dweud bod llawer o fechgyn ifainc, hyd yn oed plant, a orfodwyd i fod yn filwyr ym myddin y gwrthryfelwyr. Roedd rhai wedi cael eu gorfodi o flaen baril gwn; roedd eraill wedi cael eu llenwi ag alcohol a chyffuriau ac wedi ymuno. Ac fe anfonodd y llywodraeth neges dros y radio, 'Chwi blant Liberia sydd ddim eisiau lladd eich cyd-Liberiaid, byddwch yn ddewr a ffowch o wersylloedd y gelyn, a dowch yn ôl i'r brifddinas yma, a rhowch eich gynnau i ni. Os gwnewch chi hynny, fe wnawn ni roi amnesti i chi ac fe gewch gymorth i ailsefydlu hefyd.'

Ufuddhaodd cannoedd o fechgyn ifainc a ffoi. Cafodd rhai eu lladd wrth iddyn nhw ddianc, ond llwyddodd cannoedd ohonyn nhw i gyrraedd y brifddinas. Wedyn doedd neb yn gwybod beth i'w wneud â nhw. Roedd pawb yn eu hofni achos roedden nhw i gyd wedi lladd, ac felly dyma nhw'n eu rhoi nhw mewn stadiwm chwaraeon fawr ar gyrion y brifddinas, nid nepell o'r ffin lle roedd y gelyn.

Daeth swyddogion y llywodraeth ar ein gofyn, 'Rydych chi'n Gristnogion yma. Fyddech chi'n fodlon ein helpu ni ac adfer y bechgyn hyn? Rydym eisiau eu helpu nhw, ond os na fyddan nhw'n ffeindio calon newydd, ni fydd unrhyw raglen yn gwneud gwahaniaeth iddyn nhw. Fedrwch chi eu helpu i ffeindio calon newydd?'

Roeddwn i wrth fy modd. A dywedais y byddwn wrth fy modd yn mynd. Felly euthum i'r stadiwm i gyfarfod y dyn a oedd yn gwarchod ac i drafod pa fath o raglen y gallem ei llunio gyda'n gilydd. Y tro cyntaf yr euthum i siarad yno, fel roedd hi'n digwydd, roedden nhw wedi cael reiat y bore hwnnw. Bu llawer o helynt a phawb yn edrych yn ddigalon iawn. Pan euthum at y staff roedd eu pennau yn eu dwylo, a dyma'r arweinydd yn dweud, 'Does dim diben siarad am unrhyw beth heddiw; mae pawb yn rhy anhapus heddiw.' A dywedodd wrthyf beth oedd wedi digwydd, eu bod wedi cael reiat, a bod y bechgyn wedi dinistrio pethau ac wedi trio ymosod ar ei gilydd ac ati. Roedd pawb yn llawn pryder ac ofn.

'Os ydi pawb yn anhapus,' meddwn, 'efallai mai heddiw ydi'r diwrnod pwysicaf i siarad.' Ac meddai wrthyf, 'Wyt ti'n meddwl ei bod yn bwysig inni siarad gyda'r bechgyn yma?' Atebais, 'Ydw, wir. Mae'n amlwg eu bod nhw'n corddi. Rwy'n meddwl y byddai'n help mawr pe baem yn siarad â nhw.' A'i ymateb yntau oedd dweud 'Iawn'.

Canodd gloch i alw'r bechgyn ynghyd yn y neuadd. A dywedodd wrth y staff, 'Allan â chi. Gadewch hon y tu mewn gyda nhw. Mae hi am siarad gyda nhw.'

Roedd hynny'n beth annisgwyl, a dweud y lleiaf. Dyna lle roeddwn i gyda thros gant o'r bechgyn ifanc yn eu harddegau, yn eistedd yno yn edrych arnaf. Wrth imi edrych ar eu hwynebau, meddyliwn, 'Mae'r rhain wedi lladd. Rwyf mewn ystafell yn llawn o lofruddion. Be goblyn allaf ei ddweud wrthyn nhw?' Gweddïais yn daer a dweud, 'Arglwydd be dwi i fod i'w wneud?' Ac rwy'n cofio gofyn cwestiwn wrth edrych ar wynebau'r bechgyn ifanc: 'Arglwydd, sut wyt ti'n gweld y bechgyn ifanc yma? Sut wyt ti'n teimlo pan wyt ti'n edrych arnyn nhw?' Teimlwn fod Duw yn ateb drwy ddweud ei fod yn disgwyl yn eiddgar oherwydd ei fod yn gwybod bod yr Efengyl yn mynd i newid llawer ohonyn nhw a'i fod o'n gweld rhai o arweinyddion dyfodol Liberia yn eu plith. Sylweddolais yn yr eiliadau hynny mai Duw yr enw newydd ydi o, Duw sy'n edrych ar yr hyn yr ydym yn mynd i fod, nid ar yr hyn rydym wedi bod; ei fod o'n llawn gobaith ynghylch y newid y gall ei weithio ynom.

Felly dywedais hynny wrth y bechgyn, yr hyn y teimlwn roedd Duw yn ei deimlo amdanyn nhw. Roedd golwg o syndod ar eu hwynebau. Y peth olaf roedden nhw wedi disgwyl ei glywed gen i oedd hynny. Ac fe ddaethon nhw'n rhes, un ar ôl y llall, i ysgwyd fy llaw. 'Diolch yn fawr, diolch yn fawr.' A dyma nhw'n dweud wrthyf, 'Tyrd di yma i ddysgu Gair Duw i ni.' A dywedais y byddwn yn falch iawn o wneud hynny. 'Rydym ninnau eisiau gwrando.' Wel, ar ôl hynny, roedden nhw'n barod i fwyta allan o'm llaw i. Roeddwn yn mynd deirgwaith yr wythnos i gynnal cyfarfodydd yno. Fe gawsom amser arbennig. Roeddwn wrth fy modd gyda nhw. Roedd efengylwyr Liberaidd yn mynd i mewn hefyd, ac fe wnaeth nifer droi at Grist drwy eu gwaith.

Fy ngwaith i oedd ceisio newid agwedd y bechgyn at fywyd. Roedd yn waith diddorol dros ben: gwrando ar y bechgyn a siarad gyda nhw. Cofiaf un diwrnod yn arbennig; roeddwn yn meddwl yr hoffwn sôn am gariad tadol Duw tuag atyn nhw. Roeddwn wedi gweld yn Liberia y gallai tadau fod yn chwyrn – yn greulon, a dweud y gwir. A meddyliais, 'Sut mae hynna wedi dylanwadu ar eu darlun o Dduw?' Dywedais ein bod yn mynd i wneud ymarfer y bore hwnnw.

'Rydym am gynllunio tad perffaith.'

Roedd bwrdd du mawr ar fur un ochr i'r stafell. 'Rydym am wneud rhestr fan hyn o'r hyn fyddai nodweddion tad perffaith.' Doedden nhw ddim yn siŵr o gwbl beth i'w roi i lawr. Dyma nhw'n dweud, 'Fyddai tad perffaith ddim yn eich curo chi'n rhy galed.' A meddwn innau, 'Na fyddai wir, ond byddai'n disgyblu mewn ffordd deg oherwydd ei fod yn ein caru ni.' 'Ia,' medden nhw, 'byddai hynny'n syniad da.' Wedyn roeddem yn meddwl am bethau eraill. Roedden nhw'n cael anhawster.

'Yn hytrach na meddwl am y pethau drwg na fyddai yn eu gwneud, beth am feddwl am y pethau da y byddai'n eu gwneud?' Roedden nhw'n ei gweld yn anodd o hyd. Felly dywedais, 'Gaf i roi awgrym i chi? Byddai tad perffaith yn deall pan mae poen yn ein calonnau ni, a byddai eisiau gwrando arnom ni ac eisiau ein cysuro a'n helpu ni.'

'Mae hwnna'n un da,' meddan nhw, 'rhowch o i lawr. Rhowch o i lawr.'

Unwaith y cafon nhw'r syniad, roedden nhw'n gynnwrf i gyd, ac fe orchuddion ni y bwrdd du gyda chymwysterau tad perffaith. Roedd yr awr a gefais gyda nhw yn dod i ben, ac ar ôl inni orffen, dywedais, 'Mae gen i newydd da iawn i bawb yma sydd wedi dod yn Gristion. Mae'r tad perffaith yna yn dad i chi. Mae'r Beibl yn llawn o adnodau sy'n dangos i ni mai dyma gymwysterau Duw.'

'Yn lle? Yn lle?' meddan nhw. 'Dangoswch inni.'

Dim ond tri Beibl oedd rhwng y grŵp yna, a dyna lle roedd

pawb, o gwmpas y tri Beibl, a minnau'n ceisio cofio ac yn gorfod gweddïo am help i gofio lle roedd y gwahanol adnodau yn dangos cymwysterau Duw fel tad perffaith.

Buom yno am awr bellach, yn edrych ar y gwahanol gyfeiriadau. Roedden nhw wrth eu bodd. Yn y diwedd dyma fachgen ifanc yn rhoi ei law i fyny a dweud, 'Dwi ddim yn Gristion. Mwslim ydw i, ond dwi erioed wedi gweld tad cariadus fel hyn yn ein ffydd ni. Dwi ddim eisiau bod yn Fwslim. Dwi eisiau'r tad cariadus yma.'

Dyma fo'n penlinio o flaen y grŵp. Roedd y rhai a oedd wedi dod yn Gristnogion wrth eu bodd, yn neidio i fyny ac i lawr ac yn rhedeg ato, gan weddïo yr un pryd dros y bachgen yma. Fe wnaeth hynny ddweud cymaint wrthyf. Beth bynnag ydi ein diwylliant ni, beth bynnag ydi ein profiad ni, mae yna angen yn ein calonnau ni am brofi cariad tadol. Mae Duw wedi ein creu ni fel yna. Ac fe ddysgais beth mawr, bod cael datguddiad o gariad tadol Duw yn rhywbeth sy'n cyffwrdd ein calonnau ni yn ddwfn iawn ac yn ein denu ato.

Ar ôl inni adael Liberia, cefais lythyrau gan rai o'r bechgyn am beth amser. Roedden nhw'n annwyl dros ben. Fyddech chi byth yn meddwl eu bod wedi bod yn lladd, ac roedden nhw'n gofidio'u calon dros beth roedden nhw wedi ei wneud. 'Beth ddaeth drosom ni deudwch?' Ond roeddem yn clywed ganddyn nhw hefyd eu bod wedi bod drwy arferion dewiniaeth a'r gelfyddyd ddu, ac rwy'n siŵr bod hynny wedi agor y drws i ysbrydion aflan gael cyfle i weithio drwyddyn nhw. Wedyn fe ailddechreuodd y rhyfel cartref, ac fe gollais gysylltiad â nhw i gyd. Dwn i ddim faint ohonyn nhw sy'n dal yn fyw, ond mae Duw yn gwybod, ac rwyf innau'n gwybod y caf eu gweld nhw yn y nefoedd os na chaf eu gweld nhw ar y ddaear eto.

Gwelais law rhagluniaeth yn glir iawn yn holl fanylion fy nhaith awyren yn ôl adref. Doedd dim sicrwydd pryd y byddai cyfle arall i ddod i Liberia yn dod i'm rhan. Roeddwn wedi archebu tocyn ers tro i hedfan allan ar ddydd Mercher ym mis Hydref 1992. Ond oherwydd yr holl angen, fe geisiais newid fy nhocyn hedfan, ond fe gollon nhw fy nhocyn yn Freetown. Wedyn cefais fy nhocyn yn ôl, gyda'r wybodaeth nad oedd y tocyn yn ddilys. Ymdrech wedyn i gael gafael ar fy asiantaeth deithio ym Mhrydain gan fod y cysylltiadau teleffon wedi torri o ganlyniad i'r rhyfel; ac yna, o'r diwedd, cael ateb a chysylltiad tua deuddydd cyn teithio adref. Wrth holi am ddilysrwydd y tocyn, cefais ar ddeall mai lol botas oedd hynny i gyd, ac y gallwn ei newid. Ond erbyn hynny doeddwn i ddim yn awyddus i gymryd unrhyw risg o golli'r tocyn eto.

Teimlwn yn reit flin gyda Duw, gan ymresymu fel hyn: Pam ei fod Ef, a oedd yn gwybod am yr holl anghenion, heb atal yr holl lol yma a oedd wedi fy rhwystro rhag newid fy nhocyn? Fore dydd Mercher, fodd bynnag, dyma fi'n hedfan adref, a gallwch ddychmygu'r sioc a gefais, wedi cyrraedd adref, o glywed y newyddion. Am ddau o'r gloch ar y bore dydd Iau fe ailddechreuodd y rhyfel cartref yn Liberia. Fe fomiwyd y brifddinas lle roeddwn yn gweithio a chafodd tair mil o bobl eu lladd. Roedd yna helynt mawr wedyn yn ceisio cael y gweithwyr allan o'r wlad, ac roedd Duw wedi fy arbed rhag hynny i gyd, drwy lynu at yr amser gwreiddiol.

Arbrawf, mewn gwirionedd, oedd fy ymweliad cyntaf â Liberia. Doedd yr asiantaeth gymorth ddim wedi gwneud gwaith o'r natur yma o'r blaen, dim ond gwaith dyngarol. Ar y pryd, felly, doedd dim sicrwydd y cawn gyfle i wneud gwaith fel hyn eto. Er hynny roedd yna awydd yn fy nghalon yn dweud y byddai'r gwaith a roddwyd i mi yn datblygu. Gwelwn fy hun fel un a fu'n feddyg i friwiau'r corff, yna yn feddyg i friwiau'r meddwl, wedyn i friwiau'r enaid, a bellach yn helpu i iacháu briwiau cenedl. Roedd rhywbeth yn fy nghalon yn awyddus i wneud mwy ar y trywydd hwnnw, ac eto ni wyddwn sut yn y byd y byddai hynny'n dod i fod.

Dychwelais i'r Rhyl gan barhau gyda'm gwaith o ddarparu cyrsiau i weithwyr Cristnogol, ond roedd fy nghalon wedi profi rhywbeth arbennig, ac roeddwn wedi cael cip ar ddarlun ehangach. Yna, ym mis Medi 1994, daeth galwad ffôn gan arweinydd asiantaeth gymorth Medair yn dweud ei fod newydd fod yn Rwanda. 'Wyt ti wedi gwylio'r newyddion?' gofynnodd. 'Mae yna gyflafan ofnadwy wedi digwydd yno, ac mae gynnon ni dîm yno yn awr yn gwneud gwaith dyngarol. Ond yr angen mwyaf, yn ôl a welaf i, ydi angen y galon. Rydw i wedi ymweld ag eglwysi, ac wedi clywed gweinidogion yn gofyn: 'Ydych chi'n meddwl bod maddeuant yn bosibl wedi'r fath erchylltra? Ydi cymod yn bosibl?' Fedri di, Rhiannon, ddod yma, gan mai dyma beth yr oeddet ti'n ei wneud yn ystod dy amser sbâr yn Liberia?'

Wel, am sioc! A dyma oedd fy ymateb innau: 'Does gen i ddim amser sbâr. Dim ond pythefnos ymhen pythefnos.'

'Iawn,' meddai, 'fe wnaiff y tro. Bydd hynny'n ddechrau da.'

Heb feddwl am y cais fawr ddim, gan nad oedd gen i reswm da i ddweud Na, roeddwn wedi cytuno. Wedyn dyma stopio a mynd ati i wneud y cais yn fater gweddi. Yn ystod y pythefnos canlynol cawn fy hun yn gofyn beth roeddwn wedi cytuno iddo. Dechreuais ddarllen am sefyllfa'r wlad, a pho fwyaf roeddwn i'n ddarllen mwyaf brawychus oedd yr hanes. Roedd bron filiwn o bobl, sef wythfed rhan o'r boblogaeth, wedi cael eu lladd o fewn can niwrnod. Daeth amheuon ar linellau tebyg i hyn: 'Beth wyt ti'n ei feddwl y gall un Gymraes fach fel ti ei wneud i helpu gwlad mor glwyfedig, gwlad a brofodd y trawma mwyaf posibl?'

Doeddwn i ddim yn gwybod dim am hyn cyn mynd allan i Rwanda, ond deellais wedyn fod llawer o'r bai am yr hyn a ddigwyddodd yno yn ystod y gyflafan yn gorwedd ar ein hysgwyddau ni yn y Gorllewin. Pan aeth gwlad Belg i mewn i Rwanda ar ôl y Rhyfel Byd Cyntaf, fe aethon nhw â'r syniad o gerdyn adnabod gyda nhw i'r drefedigaeth newydd. (Yng ngwlad Belg roedden nhw'n gwahaniaethu rhwng y Ffleminiaid a'r Ffrancod gyda'r cardiau adnabod.) Dyma felly wneud yr un peth gyda'r Hwtws a'r Twtsis, er eu bod yn siarad yr un iaith ac yn rhannu'r un diwylliant. Dywedai'r Belgiaid ei bod hi'n bosibl gweld y gwahaniaeth rhwng y ddau lwyth: y Twtsis yn dal a glandeg ac felly ddim yn Affricaniaid go iawn, felly'n uwchraddol _ac yn addas i fod yn arweinyddion. Doedd eu nifer ddim yn fawr – dim ond 13% o'r boblogaeth gyfan, ond nhw a gafodd y manteision i gyd, tan 1959 pan gafwyd chwyldro. Bryd hynny roedd yr Hwtws wedi rhoi mynegiant i'w dicter am yr holl anghyfiawnderau o ganlyniad i ormes y Twtsis a oedd yn dal awenau grym gwleidyddol. Yna, o 1959 ymlaen, yr Hwtws a fu'n gormesu'r Twtsis gan ddial am yr hyn roedden nhw wedi ei ddioddef.

Y noswaith cyn imi fynd i Rwanda roeddwn mewn panig llwyr. Dychmygwn fy hun, ymhen ychydig oriau, yn camu oddi ar yr awyren a phobl yn disgwyl imi wneud rhywbeth i'w helpu, a minnau heb syniad beth a wnaeth i mi gytuno â'r cais. Roeddwn yn ei chael hi'n anodd i bacio fy nghês gan fy mod mor ofnus o'r hyn a oedd o'm blaen; yna clywais gnoc ar y drws. Ffrind imi a oedd yno: roedd hi wedi teimlo Duw yn ei chymell i ddod draw i'm gweld tra oedd yn gweddïo, er mwyn gweddïo gyda mi, a'm hatgoffa o stori porthi'r pum mil. Wrth wrando arni'n rhannu ei neges, gallwn glywed Duw yn fy atgoffa fel hyn: 'Rhiannon, rwy'n dal yn Dduw, a dydw i ddim wedi newid. Rwy'n dal i wybod sut i luosogi offrymau di-nod.'

'Iawn, fe af.' Ymlaen â'r pacio wedyn, yn gwybod os oedd Duw wedi gallu porthi'r pum mil gyda chyn lleied y gallai ddefnyddio cyfraniad di-nod gan Gymraes fach mewn sefyllfa o'r fath. Hefyd, wrth weddïo am rwyddineb i fynd i mewn i'r wlad, cawn fy hun yn gweddïo fel hyn: 'Arglwydd, beth ydi dy strategaeth di yn hyn?' Gallwn ei glywed yn dweud nad fy seiciatreg na'm seicoleg a fyddai'n gwneud y gwahaniaeth. Dim ond un peth a fyddai'n ddigon effeithiol i iacháu'r wlad yma, a'r peth hwnnw fyddai croes ei Fab ef. 'Dy waith di fydd dod â phobl gyda'i gilydd at droed y groes honno.'

Bellach rwy'n sylweddoli bod yna fantais fawr i fod yn Gymraes yn y sefyllfa dan sylw. Yn Rwanda, yn wahanol i wledydd eraill Affrica lle mae rhyddid i ddangos emosiwn yn agored, mae popeth yn breifat dros ben. Yn Rwanda mae popeth yn guddiedig ac o dan y carped fel petai. Wnaiff neb ddweud wrthych chi a ydyn nhw'n

Hwtw neu'n Twtsi, na dweud beth ydi eu tras. Mae siarad am wahanol lwythau yn cael ei gyfrif yn beth tramgwyddus, ond yn y galon mae casineb a all esgor ar y gyflafan fwyaf ofnadwy.

Roeddwn yn ymwybodol fod yna gasineb mawr tuag at bobl groenwyn. Gallwn eu clywed yn dweud: 'Chi, y bobl wyn, sydd wedi achosi ein problemau ni i gyd. Beth mae rhywrai fel chi, o Ewrop, yn gallu ei gynnig i ni yma?'

Gallech deimlo'r casineb a'r amheuaeth o'r cychwyn, ac roeddwn i'n dweud wrthyn nhw eiriau tebyg i hyn: 'Rhiannon ydw i. Rwy'n dod o wlad fach o'r enw Cymru, sydd yr un faint yn union â Rwanda. Mae hi'n wlad debyg iawn o ran tirwedd, gyda mynyddoedd a dyffrynnoedd. Gwlad hardd ydi hi, ac rydym ni, fel chithau, wrth ein bodd yn canu. Fel chi rydym ni'n canu mewn pedwar llais, mewn harmoni, ac rydw i wrth fy modd yma yn Rwanda, ac yn gartrefol yn eich plith. Ond, hefyd, rwy'n deall Rwanda oherwydd fe wnes i dyfu i fyny mewn un llwyth a wyddai beth oedd casáu llwyth arall.'

Wedi imi ddweud hynny o eiriau, roedden nhw'n barod i wrando ar bob gair.

Cawn fy hun wedyn yn sôn am anghyfiawnderau ein gwlad ni, hanes y goresgyniad, a bod yna deimlad yn ein plith ni, fel Cymry, ein bod yn cael ein hystyried yn israddol fel cenedl. Yn raddol gallwn weld rhai yn dechrau nodio'u pen i ddangos eu bod yn deall y teimlad hwnnw. Roedden nhw'n deall, ac roeddwn innau'n dechrau sylweddoli pwy oedd pwy yn fy nghynulleidfa. Roeddwn yn gwybod pwy oedd yr Hwtws. Er iddyn nhw gael y llywodraeth ers 1959, ac wedi bod yn gormesu'r Twtsis byth ers hynny, roedd briwiau'r gorffennol yn dal yno. Rwyf wedi gweld hyn yn Ne Affrica hefyd, sef pan mae pobl wedi eu hanafu yn ddwfn yn eu hysbryd, eu hemosiynau, ac yn eu henaid, os nad ydi gras Duw yn dod i mewn, i'w galluogi i ffeindio gras i faddau, bod y rhai sydd wedi cael eu gormesu yn troi'n ormeswyr eu hunain. Hefyd, rwyf wedi dysgu nad ydi'r briw yn cilio gydag amser. Mae'r briw yn dod i lawr y cenedlaethau ac yn atgof byw. Felly, er mai dim ond ychydig dros ddeugain mlynedd a oedd wedi mynd heibio ers i'r Twtsis fod yn gormesu, roedd yr Hwtws yn dal i'w hofni nhw, ac yn ceisio gwneud iawn am eu teimlad o fod yn israddol. Hyn a arweiniodd at yr hil-laddiad yn 1994 – teimlad cynyddol ac argyhoeddiad mai'r unig ffordd i wneud yn siŵr na fyddai'r Twtsis byth yn rheoli eto oedd eu lladd nhw i gyd, fel y ceisiodd Hitler ei wneud gyda'r Iddewon adeg yr Ail Ryfel Byd gyda'r 'ateb terfynol'.

Roeddwn yn teimlo fy mod i, fel Cymraes, yn gallu bod yn sensitif i wahanol ddiwylliannau. O fewn yr awr gyntaf yn y gweithdy cyntaf, roeddwn wedi dod i'r casgliad eu bod yn wahanol i bobl y wlad arall y bûm i ynddi, sef Liberia. Roedd eu dull o feddwl yn wahanol, ac wrth eu holi am eu diwylliant a'u diarhebion canfyddais eu bod yn bobl o anian wahanol. Doedd y gweithiwr arall, a ddeuai o Loegr, ddim wedi sylwi ar hynny. Felly, pan oeddwn i'n rhannu'r pethau yma, eu hymateb fyddai: 'Rydych chi'n ein deall ni.'

A phan oedden nhw'n sôn am y rhagfarn a'r ddrwgdybiaeth rhwng y ddau lwyth, gallwn ddweud, 'Rwy'n deall y pethau hyn. Roeddwn innau'n arfer meddwl yn rhagfarnllyd. Roeddwn i'n meddwl bod pob Sais yn falch ac yn drefedigaethol, ac felly roeddwn yn meddwl y gwaethaf ohonyn nhw.' Byddai'r cyfaddefiad hwnnw yn agor y ffordd inni allu trafod yn agored. Ar y dechrau roedden nhw'n synnu fy mod yn llwyddo i'w cael i drafod a rhannu eu teimladau mor agored ac mor fuan ar ôl dechrau'r gweithdy. Erbyn hyn mae gennym dîm cenedlaethol a thimau lleol sydd wedi mabwysiadu dulliau tebyg i'r rhai a ddefnyddiais i. Erbyn hyn, mae ein dulliau'n rhoi mwy fyth o bwyslais ar rannu'n agored. Dyma'r unig ffordd i gael pethau'n agored ac amlwg a'u dwyn nhw at y groes. Gallaf ddiolch yn awr mod i'n Gymraes.

Oedd yr iaith Gymraeg yn help?

Oedd. Er enghraifft, yn Ne Affrica. Fel y gwyddoch, rwy'n cynnal y gweithdai mewn gwledydd eraill heblaw Rwanda, a De Affrica ydi un o'r gwledydd hynny. Mae gagendor mawr rhwng y rhan fwyaf o bobl ddu a phobl wyn yn y wlad honno, hyd heddiw. Ond roedd y ffaith fy mod i'n gallu cyflwyno fy hun fel Cymraes yn gymorth mawr. Mae gen i ddiddordeb mawr mewn iaith, a'r ffordd o ynganu gwahanol eiriau. Caf fy hun yn gofyn, 'Sut ydych chi'n dweud hynna?' gan fy mod yn ymwybodol, oherwydd fy nghefndir fel Cymraes, fod pobl weithiau yn camynganu'r iaith Gymraeg ac yn ddiffygiol o ran parchu ein hiaith, a'r ffordd gywir o'i defnyddio. Sylweddolais, wrth holi fel hyn, fod gan bobl ddu De Affrica y llythyren 'll'. Mae'r llythyren hon yn cael ei hysgrifennu 'hl' ond yn cael ei hynganu neu ei mynegi fel 'll'. Enw un o'r parciau cenedlaethol yno ydi 'Hluhluwe'. Pan es i adref cefais sgwrs gyda ffrind imi sy'n gweithio fel cyfieithydd gyda chymdeithas Wycliffe, ac wedi astudio ieithoedd, a deall mai'r Gymraeg ac ieithoedd llwythi De Affrica ydi'r unig ieithoedd, cyn belled ag y gwyddai hi, sy'n defnyddio'r sain arbennig 'll'.

Roeddwn wrth fy modd gyda'r wybodaeth uchod, ac ar ôl imi fynd yn ôl i weithio yn eu plith dyma rannu'r tebygrwydd hwn rhyngom a nhw fel hyn: 'Gwrandewch rŵan. Rwy'n gallu dweud 'Hluhluwe' fel chi achos bod gynnon ninnau lythyren sy'n gwneud sain debyg yn ein hiaith ni. Hefyd rydym ni'n canu mewn harmoni lleisiol, yr un fath â chi. Mae'n siŵr mai cefndryd i chi ydym ni, a'n bod ni wedi symud i fyny i'r Gogledd oer a lliw ein croen ni wedi troi'n wyn.'

Wel, roedden nhw'n chwerthin wrth fy nghlywed yn dweud pethau fel hyn, ac wrth eu bodd, ac roedd y mur wedi dod i lawr yn syth bin. Cyn gynted ag roeddwn i'n sôn am anghyfiawnderau, roedden nhw'n gallu uniaethu â'r hyn a ddywedwn. Roedd yr Affricaneriaid (pobl wyn De Affrica sy'n hanu o'r Iseldiroedd) yn dod i'r seminarau yn amddiffynnol dros ben gan feddwl mod i am ladd arnyn nhw ac ati. Sôn wedyn am y 'Welsh Not' a'r modd y câi'r Cymry, ar un adeg, eu gwahardd rhag siarad Cymraeg yn eu gwlad eu hunain. Hwythau'n ymateb gan ddweud bod ganddyn nhw yr un broblem yn union. 'Roedden nhw'n rhoi pren amdanom ni hefyd gyda'r gair "Donkey" arno fo, oherwydd ein bod ni'n siarad Affricaneg. Roedden nhw'n ein chwipio ni hefyd yn yr ysgolion am nad oedden ni'n siarad Saesneg.' Roedd yr Affricaneriaid wedyn, oherwydd y loes a gawson nhw gan y Prydeinwyr, pryd y ceisiwyd gorfodi diwylliant Prydeinig arnyn nhw, yn dial drwy greu yr hyn yr ydym ni yn ei alw'n apartheid. Ni, felly, mewn gwirionedd – fel Prydeinwyr – sy'n gyfrifol am ddod ag apartheid i fod. Fodd bynnag, roedd y ffaith mod i'n gallu ennill calon yr Affricanwyr yn gyflym yn y gweithdai yn galonogol.

7 Gweithdai

Gadewch i mi fynd yn ôl at y gwaith yn Rwanda. Pan ddechreuais gyda'r gweithdai roedd y tîm roeddwn i'n gweithio iddo, sef Medair, yn byw yn un o rannau gwaethaf Rwanda – rhyw fath o 'Warsaw Ghetto', a dweud y gwir, lle afiach y cadwyd y Twtsis ynddo gan obeithio y bydden nhw'n marw o afiechyd. Yn ystod yr hil-laddiad fe laddwyd 60% o boblogaeth y dref honno. Roedd y lle fel un fynwent fawr. Lle dychrynllyd oedd o, gyda rhai cyrff yn dal i orwedd o gwmpas heb eu claddu.

Eistedd yr oeddem mewn grwpiau bach yn siarad ac yn clywed hanesion ofnadwy. Yn syml iawn wedyn, dechrau rhannu ychydig o 'mhrofiadau fy hun. A'm cyfieithydd – dyn arbennig a fu'n ddarlithydd mewn Prifysgol – yn dweud mai dyma'r ddysgeidiaeth a oedd ei hangen arnyn nhw i iacháu eu calonnau.

'Mae'r pethau hyn yn bwysig, ac rwy'n meddwl y dylai pawb yn y wlad gael cyfle i glywed y ddysgeidiaeth arbennig yma. Gallai dynnu i lawr y muriau rhyngom ni.'

Gweddïais yn daer gan ofyn i Dduw a oedd yna obaith. Yna teimlais dri pheth yn gryf wrth wrando ar yr hyn a oedd gan Dduw i'w ddweud wrthyf.

Oes, mae yna obaith, achos dyna ydi enw Duw. 'Bydded i Dduw y gobaith ...' (Rhufeiniaid 15:13). Allai Duw ddim bod yn wahanol i'r hyn ydyw wrth natur. Ble bynnag y mae Duw, yno mae gobaith.

Mae Duw yn rhoi ei obaith yng ngwaith gorffenedig Iesu Grist ar groes Calfaria. Mae popeth sydd ei angen i gymodi wedi cael ei gyflawni ar groes yn barod. Mae'r Ysbryd Glân yn parhau i dystio i effeithiolrwydd y gwaith a gyflawnwyd.

Dydi Duw ddim wedi anobeithio yn ei bobl er eu bod nhw wedi anobeithio ynddo Ef. Mae Duw yn credu yn ei eglwys er gwanned ydi hi; mae'n gallu ei hadfer a'i chodi ar ei thraed, gan ei gwneud yn gyfrwng iachâd a chymod drwy'r wlad.

Dyma ni, felly, yn dechrau breuddwydio gyda'n gilydd, gan ddweud efallai y dylem gynnal gweithdai a galw arweinyddion Cristnogol at ei gilydd. Penderfynu ymddiried yn yr Arglwydd y bydden nhw'n cael datguddiad ohono Ef yn ystod y tridiau hynny, ac y byddai eu calonnau a'u briwiau ofnadwy yn cael eu hiacháu. Hefyd, ein breuddwyd oedd y bydden nhw'n gadael y gweithdy gydag agwedd newydd sbon yn eu calonnau tuag at y llwyth arall.

Wrth edrych yn ôl, rwy'n synnu ein bod wedi disgwyl i Dduw gyflawni hynny mewn tridiau. Peth cwbl amhosibl i'w ddisgwyl. Ac eto rwy'n meddwl bod hyn yn un o'r pethau y mae'r Apostol Paul yn ei ddisgrifio fel 'dawn ffydd', achos dyma'n union a welsom yn digwydd ym mhob gweithdy. Fe ofynnon ni hefyd i lawer o bobl weddïo drosom, a phan ddychwelais i'r wlad y flwyddyn ganlynol fe deimlais fod Duw wedi cadarnhau'r alwad ynof. Y mis cyn imi fynd yn ôl, roeddwn mewn cynhadledd arbennig yn Arnhem adeg dathlu diwedd yr Ail Ryfel Byd. Roedd hi'n gynhadledd Gristnogol lle roedd cymod rhwng yr Almaen a'r Iseldiroedd. Roedd y cynadleddwyr yn edifarhau ac yn wylo gyda'i gilydd. A dywedais wrth Dduw fod arnaf eisiau byw i gymodi rhwng pobl a'i gilydd.

Roedd yr eglwys mewn cyflwr difrifol yn Rwanda. Roedd rhai wedi gwadu eu ffydd – hyd yn oed rhai Cristnogion Efengylaidd a Phentecostaidd. Ac roedd rhai Cristnogion wedi ildio o dan y pwysau ac wedi cymryd rhan yn y lladd. Eto, yr Eglwys oedd gobaith Rwanda. Gallwn weld aelodau eglwysig yn gwrthod credu fy ngeiriau pan ddywedais hynny. Eu hymateb oedd dweud eu bod wedi colli eu hygrededd. A'm hymateb innau i'w negyddiaeth oedd teimlo'n flin y tu mewn. Gallwn weld yn glir beth oedd strategaeth Satan a beth ydi ei strategaeth ym mhob gwlad o ran hynny. Ei strategaeth ydi defnyddio rhan o'r eglwys i ddwyn gwarth ar yr efengyl. Trwy fethiant rhai, roedd y diafol yn llwyddo yn ei amcanion i ddistewi llais yr eglwys – sef yr unig lais oedd â rhywbeth gwerthfawr i'w ddweud yn y fath sefyllfa enbydus. Teimlwn ddicter cyfiawn y tu mewn, a phenderfyniad y byddwn yn gwneud popeth a allwn i gywiro'r twyll. Roeddwn wedi bod yn myfyrio ar yr adnodau yn llyfr y proffwyd Seffaneia, a daeth adnod 17 o bennod 3 i'm cof wrth imi geisio'u darbwyllo o strategaeth Duw: 'Yr Arglwydd dy Dduw yn dy ganol di sydd gadarn: efe a achub, efe a lawenycha o'th blegid gan lawenydd; efe a lonydda yn ei gariad, efe a ymddigrifa ynot dan ganu.'

Esboniais fod Duw am eu gwneud nhw'n destun cân maes o law, er eu bod yn drist eu hysbryd. Dywedais mai dim ond rhan o'r eglwys a oedd wedi cyfaddawdu â'r drygioni, a bod llawer o arwyr yn eu plith, bod y nefoedd yn llawenhau ynddyn nhw, a bod Duw yn canu yn y nefoedd oherwydd eu bod nhw wedi aros yn ffyddlon drwy'r tywyllwch ofnadwy. Drwy'r cyfan a oedd wedi digwydd, roedden nhw wedi gwrthod gwadu enw Duw. Dangosais y bydd Duw yn eu codi i fyny, a soniais am Iesu Grist yn dod yn ôl at y disgyblion ar ôl yr atgyfodiad a hwythau'n teimlo eu bod wedi methu ac wedi colli gobaith. Iesu Grist yn dod atyn nhw heb edliw eu methiant na gwneud iddyn nhw deimlo'n waeth drwy ddweud pethau fel: Be ddigwyddodd i chi 'ta, wedi imi roi tair blynedd o'm bywyd i'ch dysgu a'ch hyfforddi? Bobol bach, rwyf wedi fy siomi yn ofnadwy ynoch chi. Mae'n well imi beidio â dibynnu ar ddynolryw i wneud unrhyw beth i helpu yn y byd. Bydd yn well imi ddibynnu ar angylion o hyn ymlaen. Ymateb Iesu Grist, yn hytrach, oedd cyhoeddi: 'Tangnefedd i chwi! Fel y mae'r Tad wedi fy anfon i, yr wyf fi hefyd yn eich anfon chwi . . .' (Ioan 20:21). Mewn geiriau eraill, nid oedd Iesu Grist wedi newid ei gynllun ond yn hytrach wedi addo rhoi'r Ysbryd Glân (i bobl wan a oedd wedi ffoi ac wedi methu), i'w galluogi i ddwyn tystiolaeth iddo ef. Doedd y Gwaredwr ddim wedi colli ffydd yn ei eglwys.

Yn raddol gallwn weld yr hyder yn dechrau cynyddu ymhlith y gwrandawyr. Wedyn, y cam nesaf oedd gofyn iddyn nhw godi a mynd o gwmpas a dweud wrth ei gilydd mai nhw oedd gobaith Rwanda, gan fod Duw yn credu ynddyn nhw, yn gobeithio ynddyn nhw, ac yn dibynnu arnyn nhw. Roedd yn fendigedig eu gweld yn cofleidio a rhannu geiriau o obaith beth bynnag oedd eu llwyth. Penderfynon ni gynnal y gweithdai hyn i hyfforddi neu'n hytrach i iacháu'r eglwys. Roeddwn yn ymwybodol iawn, os oedd hil-laddiad yn gallu digwydd mewn gwlad lle roedd 95% yn Gristnogion mewn enw, ac 80% yn mynd i oedfa ar y Sul, bod rhywbeth mawr o'i le ar y rhai a oedd yn llenwi'r pulpudau yn y wlad. Ar y pryd hefyd roedd yna ofn yn ymledu y byddai hil-laddiad arall yn dilyn. Felly, y ffordd fwyaf effeithiol o droi'r rhod oedd i newid calonnau yr union bobl a oedd yn cael clust 80% o'r boblogaeth bob Sul.

Ar y dechrau roedd yn fater cwbl ymarferol ein bod yn targedu'r arweinyddion eglwysig fel hyn. Yna, wrth i'r gwaith fynd rhagddo, roeddem yn gweld mai'r eglwys ydi cudd-weithredwr ('secret agent') Duw ym mhob gwlad ar y ddaear. Yr eglwys ydi'r goleuni i oleuo'r tywyllwch, ac mae hi i fod fel lefain yn y gymdeithas.

Y cam nesaf, felly, oedd edrych sut yn union y mae'r eglwys yn gallu bod yn oleuni yn y tywyllwch.

'Am hynny, yr wyf yn ymbil arnoch, gyfeillion, ar sail tosturiaethau Duw, i'ch offrymu eich hunain yn aberth byw, sanctaidd a derbyniol gan Dduw. Felly y rhowch iddo addoliad ysbrydol. A pheidiwch â chydymffurfio â'r byd hwn, ond bydded ichwi gael eich trawsffurfio trwy adnewyddu eich meddwl, er mwyn ichwi allu canfod beth yw ei ewyllys, beth sy'n dda a derbyniol a pherffaith yn ei olwg ef' (Rhufeiniaid 12:1-2).

Soniais am y modd y mae'r Ysbryd Glân yn adnewyddu ein meddyliau ni a'n gwneud yn wahanol i bobl eraill, gan ein bod yn meddwl ar lefel uwch. Y gorchymyn yw ar i ni feddwl mewn modd tebyg i'r modd y byddai Iesu Grist ei hun yn meddwl. Cyn y gall hyn ddigwydd, rhaid i'n meddwl gael ei drawsnewid fel ein bod yn meddwl mewn ffordd wahanol i'r gymdeithas o'n cwmpas. Allwn ni, fel pobl Dduw, ddim dangos yr un rhagfarn ethnig, casineb ac yn y blaen, neu does yna ddim goleuni i lewyrchu yn y tywyllwch. Rhaid inni fyw ar lefel uwch, yn meddwl yr un fath â Duw.

Rhaglen y diwrnod cyntaf oedd dangos bod angen *newid meddwl* ac ymwrthod â'r ysbryd o dynghediaeth ('fatalism') a oedd i'w deimlo yn yr eglwys. Ein hamcan oedd dileu'r syniad, a oedd wedi tyfu ym meddyliau'r bobl, mai Duw oedd wedi anfon yr hil-laddiad. Byddem yn trafod sut Dduw oedd hwnnw y gellid tybio ei fod wedi anfon yr hil-laddiad.

Y peth cyntaf angenrheidiol ydi ein bod yn cael ein cymodi â Duw. Yn y gweithdai y byddwn yn eu cynnal, mae gen i ddarlun o dŷ. Pan gaiff y tŷ ei adeiladu, y sylfaen ydi adnabod Duw. Nid gwybod ffeithiau amdano ond ei adnabod – cael datguddiad o'r gwir Dduw. Dyna'r sylfaen. Y waliau ydi iacháu briwiau'r galon. Y nenfwd ydi maddeuant ac edifeirwch. A'r to ydi cymodi.

Pan es i i Rwanda, roedd yn wir sioc, achos fe ffeindiais nad oedd y bobl yn gallu mynegi emosiwn yn eu diwylliant hwy. Doedd dim lle i hynny. Roedden nhw'n sôn am y pethau mwyaf trist ac ofnadwy – ac yn chwerthin, gan mai dyma'r unig emosiwn oedd yn cael ei ganiatáu yn gyhoeddus. Roedd hi'n anodd iawn i mi allu ymdopi â hyn, a minnau'n dod o ddiwylliant hollol wahanol. Hefyd roedd pobl yn ymddangos yn fuddugoliaethus iawn. 'Haleliwia, mawl i Dduw,' a hynny ond wyth wythnos ar ôl y gyflafan a'r lladd mwyaf difrifol, lle roedd y mwyafrif ohonyn nhw wedi gwylio'u perthnasau'n cael eu lladd mewn ffyrdd mwyaf erchyll. Roedd hi'n anodd gwybod sut i gyrraedd calon y bobl yma. Teimlwn fod yna fwgwd mawr yn cuddio'r gwir, a Duw yn dweud wrthyf am siarad am fy mhrofiad personol i.

Y cam nesaf oedd dweud wrthyn nhw yn y gweithdy mod i eisiau rhannu rhywbeth personol â nhw. Soniais amdanaf fy hun yn ymddangos fel Cristion buddugoliaethus, ond bod y boen a'r cwestiynau yma y tu mewn. Yn raddol, byddwn yn gweld y mygydau yn dechrau disgyn a hwythau'n dweud eu bod nhw hefyd yn gofyn yr un cwestiynau.

Wedyn mae gen i bedwar cwestiwn i'w rhoi i fyny ar y wal:

Ydi Duw yn gyfiawn, ac os ydi o pam fod yna gymaint o anghyfiawnder yn y byd?

Ydi popeth sy'n digwydd ar y ddaear yn ewyllys Duw?

Os ydi Duw yn Dduw hollalluog, pam nad ydi o'n ymyrryd ac yn atal pobl ddrwg rhag cyflawni pethau ofnadwy?

Os ydi Duw yn Dduw cariad, pam ei fod Ef yn gadael i bobl ddiniwed ddioddef?

Byddaf yn cyfaddef mod i fy hun wedi ymdrechu gyda'r cwestiynau hyn. Wrth wynebu arweinyddion Cristnogol, rhaid gwrthrycholi'r cwestiynau ac osgoi gwneud iddyn nhw deimlo mod i'n cael atyn nhw mewn rhyw ffordd neu'i gilydd. Felly, byddwn yn trafod y mater fel hyn:

'Welwch chi'r bobl acw sy'n cerdded y tu allan ar hyd y llwybrau yna? Ydyn nhw'n ymdrechu yn eu calonnau wedi iddyn nhw brofi'r holl ddioddef a ddaeth i'w rhan?' Mae'r ymateb yn bendant, 'O, yn sicr!' Y cwestiwn nesaf y byddaf yn ei ofyn ydi: 'Beth maen nhw'n ei ddweud?'

'Dweud bod Duw wedi troi ei gefn arnon ni, a bod Satan yn gryfach na Duw. Hefyd eu bod nhw hyd yn oed wedi lladd Duw yn ystod y gyflafan a'r hil-laddiad.'

Ond y peth mwyaf trist i mi oedd clywed pobl yn dweud, 'Os oes yna Dduw, mae o yn ein herbyn ni.'

Wrth imi rannu fy mhrofiad, roedden nhw'n cael caniatâd, mae'n debyg, i fod yn real. Felly, byddwn fel grŵp yn treulio'r diwrnod cyntaf i gyd yn mynd drwy'r Ysgrythurau, gan weld beth mae'r Beibl yn ei ddweud am ewyllys Duw. Ar ddechrau'r dasg honno byddwn yn gofyn iddyn nhw ddangos, drwy godi dwylo, faint ohonyn nhw sy'n credu bod popeth sy'n digwydd ar y ddaear yn ewyllys Duw? Bydd y rhan fwyaf yn rhoi eu dwylo i fyny, gan gredu y gallai Duw, sy'n hollalluog, fod wedi atal y lladd. Dod yn ôl wedyn at gyfrifoldeb dyn yn hyn i gyd, gan ddefnyddio pypedau. Doedden nhw ddim wedi gweld pypedau o'r blaen, ac roedden nhw'n synnu. Dangos y pyped yn cael ei reoli gan y person sy'n tynnu'r llinyn, ac yna gofyn ai fel hyn y gwnaeth Duw ein creu ni. Ai llawer o bypedau ydyn ni? Dod i gasgliad a chytundeb nad fel hyn y gwnaeth Duw ein creu ni, ac y byddai bywyd wedi bod yn 'berffaith' pe bai hynny'n wir. Gofyn wedyn pam fod Duw wedi cymryd y risg o roi dewis i ni, a dod i ddeall yn raddol nad yw cariad yn bosibl lle nad oes dewis. Ar ddiwedd y diwrnod, byddwn wedi cyrraedd tri chasgliad am Dduw:

Nid Duw ydi awdur anghyfiawnder oherwydd mae Duw yn gyfiawn;

Mae Duw gyda ni yng nghanol dioddefaint – yn cyd-ddioddef hefo ni;

Mae Duw yn gallu prynu yn ôl ('redeem') bopeth drwg sydd wedi digwydd i ni a'i droi er daioni.

Yr ail dro roeddwn yn Rwanda roeddwn yn gweddïo gyda dwy ferch am gyflwr y wlad, ac fel roeddwn i'n gweddïo roedd gen i ddarlun yn fy meddwl o'r wlad wedi ei gorchuddio â lludw. Roedd yn ddarlun cwbl ddigalon ac anobeithiol, a chawn fy hun yn wylo'n dawel dros y wlad, gan ofyn, 'Oes yna obaith mewn gwirionedd i'r wlad hon?' Yna, fel roeddwn yn gweddïo, fe newidiodd y darlun, ac roeddwn yn gweld blodau coch yn codi allan o'r lludw ac yn tyfu ym mhob man. Dywedais wrth Dduw yr adeg honno fy mod yn mynd i ymddiried ynddo Ef y byddem yn gweld harddwch yn tyfu allan o'r lludw. Wel, rwyf wedi gweld yr harddwch, ac fe soniaf fwy am hynny ymhellach ymlaen.

Yn ddiweddar, es i i Dde Affrica a mynd am dro yn ymyl Cape Town, a dod ar draws tir lle roedd yna dân wedi bod a'r lle yn lludw i gyd. Fy ffrind i wedyn yn dweud, wrth ddod allan o'r car, ei bod hi'n casáu cerdded ar dir llychlyd fel hyn, ac er bod golygfa braf gerllaw mai gwell oedd inni ddychwelyd i'r car a stopio rywle arall. Wrth inni gamu i mewn i'r car, fe waeddodd rhywun arnom. Dyma ni'n troi i edrych, a gweld dyn yn brasgamu i lawr ochr y bryn, yn galw arnom gan ofyn:

'Ydych chi wedi gweld y lilis fflamgoch?'

'Beth ydi'r rheini?' meddwn innau.

'Mae 'na hadau arbennig mewn rhai rhannau o'r byd a blodau sy'n tarddu ohonyn nhw, blodau sydd ddim ond yn tyfu ar ôl tân. Dim ond gwres y tân sy'n gallu gwneud i'r hedyn agor. Rydym ni'n galw'r blodau yn lilis fflamgoch. Ewch i'w gweld.'

A dyna'n union wnaethon ni, a gweld y blodau coch yng nghanol y lludw. A dyma ddweud wrth fy ffrind beth ddaeth i'm meddwl y funud honno. 'Rydw i'n gwybod beth ydi enwau'r rhain. Joseph, Anastase, Devota, Abednego, Leonidas – y ffrindiau annwyl yn Rwanda sydd wedi mynd drwy'r tân ac wedi dod allan fel blodau hardd.'

Mae'r bobl yn y seminar yn cytuno wedyn nad oedd Duw wedi cael unrhyw bleser drwy eu gweld yn dioddef, a'i fod yn ymatal rhag ymyrryd gan ei fod wedi rhoi rhyddid i ddynolryw, a bod yna ganlyniadau i'r dewis y mae pobl yn ei wneud. Maen nhw'n cytuno bod llawer o bobl ddiniwed yn dioddef o ganlyniad i ddewisiadau rhai pobl ddrwg, a bod Duw yn gofidio yn ofnadwy, *ond* bod Duw yn gallu dwyn daioni allan o'r dioddef.

8 Iacháu'r galon friwedig

'Cyn i rai briwedig gael iachâd,
rhaid yn gyntaf wynebu'r **boen**
a'i mynegi

Yna, ar yr ail ddiwrnod, roeddem yn edrych ar y briwiau ac yn
annog y bobl i siarad yn agored am y briwiau hynny. Cynheliais
weithdy bach a dyfodd o syniad a ddaeth yn fyrfyfyr imi mewn
ateb i'r sefyllfa a welwn yn datblygu o'm blaen. Roeddwn wedi
gweld rhywbeth tebyg yn ystod f'amser yn Liberia, a dyma
addasu'r hyn a gofiwn i'r sefyllfa hon. Rhoddais bapur yn eu llaw
gan ofyn iddyn nhw ysgrifennu i lawr y pethau a oedd wedi eu
brifo fwyaf yn eu calon, y pethau a welon nhw a'r hyn a achosodd

y boen fwyaf iddyn nhw yn unigol, y pethau hynny a achosodd y niwed mwyaf i'w hysbryd. Wedyn, y cam nesaf oedd eu gosod mewn grwpiau fel bod Hwtw a Twtsi ym mhob grŵp. Roedd hi'n anodd ar y dechrau i ofalu bod hyn yn digwydd gan na allwn siarad yn blaen, a'r hyn a wnes i oedd gofyn iddyn nhw fynd i grŵp gyda rhywun na fydden nhw, yn naturiol, byth yn siarad gydag ef neu hi. Yna rhannu eu stori gyda'r person hwnnw.

Eu hymateb greddfol i'r cais hwn oedd dweud nad oedden nhw eisiau rhannu eu stori a'u poen gydag unrhyw un. Roedd rhaid goresgyn yr anhawster hwnnw, felly, drwy astudiaeth Feiblaidd a chyfeirio atom ni, y Prydeinwyr, fel pobl sy'n ffrwyno'u teimladau, pobl y 'stiff upper lip', pobl sy'n ymdrechu i beidio â gwisgo'u calon ar eu llawes. Gofyn wedyn a oedden nhw'n deall, a hwythau'n dweud eu bod yn deall yn iawn.

'Rydym ni yr un fath yn union â chi.'

Minnau wedyn yn mynd ymlaen i ddweud ein bod ni'n falch fel pobl, yn hoffi rhoi'r argraff ein bod yn gryf ac yn gallu ymdopi â phob sefyllfa. 'Dydym ni ddim yn hoffi bod pobl yn meddwl ein bod yn wan.'

'Rydym ni yr un fath â chi,' fyddai eu hymateb unwaith eto.

'Ond beth am bobl y Congo ac Uganda?'

'Maen nhw'n wahanol. Maen nhw'n crio ac yn siarad. Dydyn nhw ddim yr un fath â ni.'

'O, felly. Nawr sut ydym ni'n mynd i benderfynu pa un ydi'r ffordd fwyaf iachus i ymddwyn? Cadw'r cyfan i mewn, fel pobl Rwanda a Phrydain, neu siarad a rhannu fel pobl y Congo?'

'Oes yna unrhyw ffordd y gallwn ni asesu hyn?'

'Beth am Air Duw?'

'Syniad gwych!'

Ffurfio grwpiau bach wedyn a thrafod ynddyn nhw sut roedd pobl yn y Beibl yn delio â phrofedigaeth. Y cwestiwn a ofynnon ni wedyn oedd p'run a yw Gair Duw yn cytuno â'u diwylliant nhw, a'n diwylliant ni fel Prydeinwyr. Dod yn ôl o'u grwpiau wedyn a dangos nad ydi Duw yn cytuno â'u diwylliant. Roedd Abraham, wrth gladdu Sarah ei wraig, yn crio; felly hefyd y brenin Dafydd a wylodd yn gyhoeddus wedi marwolaeth Absalom. Yna Iesu Grist ei hun yn wylo. Felly dod i'r casgliad, os oedd hi'n iawn i Iesu Grist wylo a dangos emosiwn, ei bod hi'n iawn iddynt hwythau wneud yr un modd. Cytuno bod rhaid i Brydeinwyr a phobl Rwanda ddysgu oddi wth Air Duw. Codais y Beibl wedyn uwchlaw pawb a oedd yn bresennol gan arwyddo bod rhaid i'n diwylliannau ni i gyd ymostwng i Dduw sy'n deall ein calonnau. Ef sy'n gwybod beth all ein hiacháu ni. Mynd ymlaen wedyn drwy'r Salmau a dangos y modd y mae'r Salmydd yn arllwys ei galon gerbron Duw. Yna byddwn yn gofyn iddyn nhw a oedd yna unrhyw adeg ym mywyd Iesu Grist pan oedd yn wahanol y tu allan i'r hyn ydoedd y tu mewn. 'Na ddim o gwbl,' oedd yr ateb gan fod Iesu Grist yn ddidwyll bob amser.

Y cam nesaf oedd gofyn iddyn nhw fentro dweud eu storïau wrth ei gilydd, gan beidio â mygu eu hemosiynau. Ar ôl rhannu'n grwpiau bach, byddai gwahoddiad i unrhyw rai ddweud yn gyhoeddus beth oedden nhw wedi ei ddioddef. Felly dyma'u clywed, un ar ôl y llall, yn dechrau rhannu ar goedd beth oedd wedi digwydd iddyn nhw, neu i'w gwragedd a'u plant – erchyllterau ofnadwy. Roedd fy nghynorthwy-ydd yn gosod siartiau i fyny ar y wal gyda disgrifiadau o'r erchyllterau, a minnau'n eistedd yn gwrando ar hyn i gyd wedi fy mrawychu gan faint y dioddef, heb wybod beth fyddai'r cam nesaf. Cawn fy hun ar adegau o'r fath yn gofyn i'r Arglwydd fy nghyfarwyddo, a dangos i mi pa lwybr i'w gymryd nesaf. Wrth gael fy hun yn gofyn i'r Arglwydd beth oeddwn i'w wneud â hyn i gyd, roeddwn yn gwybod beth oedd yr ateb. Rhaid iddyn nhw fynd at y groes. Ble arall? Deuai Eseia 53:4 i'r meddwl: 'Diau efe a gymerth ein gwendid ni, ac a *ddug ein doluriau*'. Mae'r Hebraeg yn cyfateb i eiriau fel 'poen', 'gwewyr', 'ing' ('anguish').

Minnau wedyn yn gofyn beth, tybed, oedd Duw yn ei deimlo yn wyneb yr holl erchyllterau a gofnodwyd. Eu hymateb oedd fod y cyfan yn tristáu Duw. Y cwestiwn nesaf oedd: 'Ydych chi am fyw

'Cyn i rai briwedig gael iachâd, rhaid yn gyntaf wynebu'r **boen** a'i mynegi

Eseia 53:4-5

gweddill eich bywyd yn coleddu'r pethau yma yn eich calon?' Edrychais gyda nhw ar adnod sy'n cael ei hailadrodd dair gwaith yn llyfr Jeremeia, lle mae Duw yn sôn am y pethau ffiaidd roeddent yn eu gwneud: 'ni orchmynnais hyn iddynt, ac ni ddaeth i'm meddwl iddynt wneud y fath ffieidd-dra . . .' (Jeremeia 32:35).

Adnod arall y rhoesom sylw iddi ydi honno yn llyfr Genesis sy'n sôn am Dduw yn gwahardd Adda ac Efa rhag bwyta o goeden gwybodaeth da a   drwg (Gen. 3:5). Doedd Duw erioed wedi dymuno i ddyn wybod am ddrygioni. Ei ddymuniad Ef oedd i ddyn wybod am gyfiawnder, a bod yn ddiniwed ble mae llawer o bethau yn y cwestiwn.

Dychwelyd wedyn at Eseia 53:4, ac awgrymu eu bod yn dwyn y cyfan at groes Iesu Grist. 'Y pethau hyn a brofwyd gennych chi, mae Iesu Grist wedi eu profi nhw i gyd – pob trasiedi ddynol yn ogystal â phob pechod.' Esboniais fod y gair Hebraeg am ddrygioni yn cynnwys pob canlyniad i bechod. Llwyddodd Iesu Grist ar y groes i ddelio â holl ganlyniadau pechod.

Pan ddeuthum i'n Gristion fe ddysgais fod yn rhaid imi ddwyn fy mhechod at y groes, ond ni chlywais fawr neb yn sôn am ddwyn fy noluriau i'r un fan. Hanner cyflwr dyn ydi pechod gan ein bod yn friwedig yn ogystal. Aeth Iesu Grist i'r groes i ddelio â'r ddau. Mae geiriau Ioan Fedyddiwr, ar adeg bedyddio'r Gwaredwr, yn ei ddisgrifio fel un a fyddai'n 'cymryd ymaith bechod y byd' (Ioan 1:29), ac meddai Iesu Grist amdano'i hun, gan ddarllen o Eseia 61: 'Y mae Ysbryd yr Arglwydd arnaf, oherwydd iddo f'eneinio i bregethu'r newydd da i dlodion. Y mae wedi f'anfon i gyhoeddi rhyddhad i garcharorion, ac adferiad golwg i ddeillion, i beri i'r gorthrymedig gerdded yn rhydd, i gyhoeddi blwyddyn ffafr yr Arglwydd' (Luc 4:18-19).

Rhaid sylweddoli yma fod y gwaith o'u cael i mewn i grwpiau i wrando ar hanesion ei gilydd yn waith anodd iawn. Roedden nhw mor ddrwgdybus, ac roedd y frwydr yn un real iawn. Doedd dim pwynt inni ruthro pethau. Roedd rhaid inni aros iddyn nhw fod yn barod i symud ymlaen at y cam nesaf. Hwythau yn dod i'r canlyniad eu bod wedi dod i'r gweithdy i gael eu hiacháu, ac os oeddwn i'n dweud mai dyma'r ffordd y bydden nhw'n cael eu hiacháu, doedd dim diben troi am adref nes i hynny ddigwydd iddynt. Felly, roedd teimlad yn eu plith ei bod hi'n werth rhoi cynnig ar y llwybr hwn gan eu bod wedi drwgamau ei gilydd erioed. Mewn geiriau eraill, doedden nhw erioed wedi gallu ymddiried yn ei gilydd, ac felly roedd yn rhesymol eu bod yn rhoi cynnig ar yr ateb gwahanol oedd dan drafodaeth. Gallen nhw barhau i droedio'r hen lwybrau neu fentro dilyn y llwybr newydd gan ymddiried yn ei gilydd. Dadl ychwanegol a oedd ganddyn nhw oedd hon: 'Os na allwn ni, fel Cristnogion, wneud hyn, a ninnau'n arweinyddion Cristnogol, pa obaith sydd yna i eraill yn y gymdeithas?'

Pan oedden nhw'n barod, ac nid cynt, roeddem yn symud ymlaen i'r grwpiau o dri. Awgrymu eu bod, wrth wrando ar y person arall yn llefaru, yn gofyn i Dduw y cwestiwn hwn: 'Sut y gallaf wrando mewn ffordd sy'n dangos cariad ac yn ei gwneud hi'n haws iddyn nhw ddweud eu stori?' Cyn mynd, roedd angen iddyn nhw weddïo am allu i ddangos cydymdeimlad wrth i'r lleill adrodd eu hanes.

Wedi'r ymdrech fawr i'w cael i mewn i'r grwpiau, roedd yn ymdrech fwy fyth i'w cael allan ohonynt. Roedden nhw'n gweld cydymdeimlad ei gilydd wrth iddyn nhw rannu yn eu tro, a hynny dros agendor mor fawr. Dechrau gweddïo dros ei gilydd wedyn ac wylo gyda'i gilydd, gan dystio eu bod eisoes wedi dechrau cael eu hiacháu.

Yna, ar ôl tua dwyawr, eu cael yn ôl i wrando ar y cam pwysicaf. Eu hatgoffa o'r peth pwysicaf yn Eseia 53, sef eu bod yn trosglwyddo'r cyfan yn awr i'r Iesu croeshoeliedig ac atgyfodedig. Gan fod tuedd ynom ni i gyd, ar adegau o'r fath, i fod yn grefyddol, byddwn yn awgrymu eu bod nhw'n dweud yn syml wrth yr Arglwydd:

Dyma'r hyn rwyf wedi ei weld.
Dyma'r hyn rwyf wedi ei brofi.
Dyma'r hyn rwyf wedi ei deimlo o'r herwydd.

Dim ond hynny. Yna, trwy ffydd, rwyf am iddyn nhw weld y baich hwnnw i gyd yn cael ei drosglwyddo ar Iesu Grist ar y groes. Felly mae'r bobl sydd, o ran eu tras a'u diwylliant, yn cael anhawster i fynegi teimlad, yn gwneud union hynny. Clywais nhw'n wylofain a rhai yn gweiddi allan, ac fel roedd hynny'n terfynu a distewi, rhywun yn dechrau canu yn eu hiaith nhw:

'What a friend we have in Jesus,
all our sins and *griefs* to bear!'

Meddwl wedyn tybed pa gymorth gweledol a fyddai'n help i argraffu'r gwirionedd yma fod Iesu Grist yn maddau ein pechodau ac yn cymryd ein doluriau. Daeth y syniad imi o wneud croes, a gofynnais i rywun wneud un amrwd a'i rhoi hi ar lawr gyda swp o hoelion a morthwyl. Awgrymu wedyn, pe baent yn dymuno, y gallen nhw ddod â'u papur a'i hoelio ar y groes.

Roedd Iesu Grist yn hoffi symbolau. Er enghraifft, fe roddodd glai ar lygaid y dyn dall cyn ei anfon at lyn i adfer ei olwg. Er nad

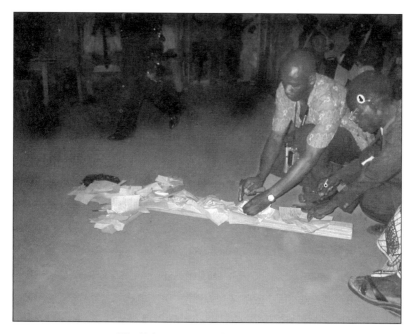

Hoelio'r storïau erchyll ar y groes

oedd dim byd arbennig yn y clai a'r llyn, roedd Iesu Grist yn gwybod y byddai'r weithred ddramatig yn gymorth i ffydd y dyn dall dyfu nes byddai'n derbyn iachâd. Felly, wrth gyflawni gweithred fach (a ddaeth imi yn fyrfyfyr), cafodd llawer eu taro, mewn ffordd wir effeithiol, gan realiti yr hyn roedden nhw'n ei wneud. Wrth glywed y morthwyl yn gyrru'r hoelion i mewn i'r pren, roedd yr ymateb i'w glywed. Erbyn hyn rwyf wedi clywed y morthwyl yna filoedd o weithiau, nid yn unig yn llaw gweinidogion eglwysig ond hefyd yn llaw gwragedd gweddwon, plant ysgol, plant amddifad, a phob mathau o bobl mewn gwahanol wledydd heblaw Affrica. A phob tro mae'r morthwyl yn taro fe wyddoch fod honno'n boen y mae Iesu Grist wedi ei dioddef.

Wedyn, ar ôl hyn, bydd rhai yn ddrwgdybus ac yn gofyn beth ydw i'n bwriadu ei wneud â'u papur nhw. Eu cwestiwn yn naturiol ydi: 'Pwy sy'n mynd i ddarllen hwnna?' Penderfynais, felly, fod yn well imi wneud rhywbeth cyhoeddus fel eu bod yn gwybod na fydd unrhyw un yn darllen yr hyn a gofnodwyd. Awgrymais ein bod yn cario'r groes y tu allan a gwneud coelcerth i losgi'r papurau. Wrth wylio'r papurau'n cael eu llosgi rwyf wedi clywed cymaint yn dweud, mor sicr â bod y mwg yn esgyn i'r nefoedd, fod Duw yn derbyn yr hyn a ysgrifennwyd ar y papur ac yn derbyn y boen i mewn i'w galon Ef ei hun. Roedd y weithred honno'n dod yn rhan o'u hiachâd, a dweud y gwir. Clywais sawl un yn dweud bod y broses hon o losgi'r papurau fel rhyw fath o angladd, lle mae'r pethau erchyll yma yn cael eu claddu. Ar ddiwedd y llosgi roedd y lludw yn fy atgoffa o'r blodau cochion a welais ar fy nhaith yn Ne Affrica. Wedyn fe brynais flodau bach coch, rhai sidan y tro hwn, pan oeddwn adref yng Nghymru, a'u defnyddio pan es yn ôl drwy eu gosod yn y lludw, gan ddweud yr hanes am y lilis fflamgoch a

Gweithdy'r groes

welais. Gofyn iddyn nhw wedyn a allem ymddiried y byddai Duw yn dod â blodau hardd allan o'r lludw yma hyd yn oed, a'r ateb unfrydol oedd: 'Gallwn, gallwn.'

Yn dilyn hyn roedden nhw'n dechrau gweddïo dros ei gilydd ac yn dechrau moli. Bellach, pan fydd hyn yn digwydd, mae'r arweinyddion yn troi ataf, ac yn dweud gyda gwên ar eu hwynebau: 'Mae Ef wedi dod i'n plith ni eto.' Ym mhob gweithdy rydym wedi gweld rhyddid a llawenydd.

Dychwelyd wedyn, wedi edrych ar y pethau gwaethaf yn y gorffennol, a'u cymell i edrych ar y pethau gorau. Y tro cyntaf imi wneud hyn oedd wyth wythnos ar ôl yr hil-laddiad. Beth oedd y pethau da yr oedd Duw wedi eu gwneud yn ystod yr adeg o dywyllwch? Yr ymateb cyntaf oedd gofyn, mewn difrif, a oeddwn yn eu gwatwar. Eu sylw, bron yn ddieithriad, oedd: 'Dydych chi ddim yn deall beth rydym wedi bod drwyddo?'

'Ydi hi'n wir, felly', meddwn innau, 'fod Duw wedi troi ei gefn, a'i fod Ef wedi gadael y sefyllfa? Ydi hi'n wir nad oedd Duw yma yn ystod yr helynt?'

'O na, roedd Ef yma.'

'Sut ydych chi'n gwybod ei fod Ef yma?'

'Ym mywydau pobl rydych chi'n ei feddwl yntê? Oedd, roedd yn gwneud pethau da yng nghalonnau pobl.'

Wedyn dyma nhw'n dechrau tystio i'r pethau rhyfeddol roedden nhw wedi eu gweld. Daeth hanesion arbennig i'r golwg – am ymddygiad dewr a chwbl arwrol. Er enghraifft, am y modd y bu i rai Hwtws beryglu eu bywydau eu hunain drwy geisio cuddio rhai o'r Twtsis yn eu tai. Pe baen nhw wedi cael eu dal yn gwneud hynny, bydden nhw wedi cael eu lladd, ac fe gafodd rhai eu dal a'u lladd mewn ffyrdd cwbl farbaraidd am amddiffyn y gelyn.

Clywed wedyn am bobl a oedd wedi marw 'a'r Ysbryd Glân arnyn nhw'. Clywais hyn nifer o weithiau, a gofyn beth oedden nhw'n ei feddwl. Clywais am bobl yn canu emynau wrth gael eu torri'n ddarnau, a rhai yn dweud wrth y gelyn cyn iddyn nhw gael eu lladd: 'Arhoswch funud, wnewch chi roi munud imi, achos fe hoffwn ofyn mewn gweddi ar i Dduw eich bendithio chi, cyn ichi fy lladd i.'

Rhai yn ymateb drwy ddweud rhywbeth tebyg i hyn: 'O, mae hwn yn ddyn duwiol, mae'n well inni beidio â'i ladd.' Roedd eraill yn gwylltio fwy ac yn cynddeiriogi. Ond mae yna dystiolaethau drwy Rwanda am lawer a drodd at Grist gan eu bod wedi gweld pobl gyfiawn yn marw. Po fwyaf o'r hanesion hynny a glywem, mwyaf i gyd roeddwn yn ychwanegu at y rhestr, a honno'n mynd yn hirach a hirach. Clywais enghreifftiau lu o bobl a oedd wedi derbyn atebion i weddi. Un profiad ar ôl y llall, a phobl yn dyheu yn awr i rannu. Ac erbyn y diwedd, roeddwn yn gofyn a oedden nhw wedi sylweddoli eu bod wedi profi Ioan 1:5 – 'Y mae'r goleuni yn llewyrchu yn y tywyllwch, ac nid yw'r tywyllwch wedi ei drechu ef.' Meddai un cyfieithiad Saesneg: 'darkness could not overpower it'; ac meddai un arall: 'the darkness can never

'Rwy'n rhydd!'
Canu a gorfoleddu ar ddiwedd seminar yn Rwanda

extinguish it'. Yn Gymraeg gallem ddweud: 'dyw'r tywyllwch ddim wedi gallu diffodd y golau.'

Oes yna unrhyw wlad wedi bod drwy fwy o dywyllwch na hyn? Ac eto rydym wedi profi bod y goleuni yn dal i lewyrchu; methodd y tywyllwch â diffodd y goleuni. Dyna i chi neges i'r byd. Os ydi'r diafol wedi methu yma, wnaiff o ddim llwyddo yn unman arall. Wedyn dyma nôl y drymiau a dechrau canu, dawnsio a moli – weithiau tan oriau mân y bore.

Deuai bore'r trydydd dydd, ac ym mhob seminar, roedd hi'n fore atgyfodiad. Erbyn y bore olaf, wrth inni ddechrau drwy addoli, roedd yn amlwg bod y bobl wedi newid. Roedden nhw fel pobl wahanol i'r rhai a ddaeth y bore cyntaf. Felly byddwn yn gofyn: 'Oes unrhyw beth wedi digwydd ichi?' A'u hateb yn ddi-feth oedd 'Oes, oes, oes!'

'Fasech chi'n hoffi dweud wrthym ni?'

Gwneud rhes wedyn i ddod i'r blaen i rannu, a'r un thema a ddeuai i'r golwg dro ar ôl tro, sef bod rhywbeth anhygoel wedi digwydd wrth y groes. 'Pan hoeliais y papur yna, a rhoi fy mhoen i Iesu Grist, fe wnaeth fy nghalon i newid. Roeddwn yn ffeindio, yn lle casáu fy ngelynion, mod i'n gallu eu caru nhw. Rwyf wedi maddau i un ar ôl y llall. Hyd at brynhawn ddoe, nid yn unig roeddwn i'n casáu fy ngelynion a oedd wedi lladd fy nheulu i, ond roeddwn yn casáu y llwyth i gyd. Erbyn y bore 'ma, mae gen i awydd yn unig i'w bendithio nhw. Yn wir, erbyn imi gyrraedd yn ôl i'm sedd wedi bod wrth y groes, roedd fy nghalon wedi newid.'

Un ferch wedyn yn dweud fel hyn: 'Roeddwn yn hoelio'r papur ac yn sylweddoli mai'r hyn roeddwn i'n ei wneud mewn gwirionedd oedd hoelio pechodau pobl eraill tuag ataf i a'm teulu i groes Iesu Grist. Ond mae fy mhechodau i wedi eu hoelio i'r un groes, ac fe wnaeth hynny ddod â thrugaredd i mi. Felly, os ydw i'n hoelio pechodau pobl eraill tuag ataf fi i mewn i'r un groes, mi all hynny ddod â thrugaredd iddyn nhw hefyd.'

Dysgais rywbeth mawr yn y profiad hwn o wrando ar gyffes y bobl hyn. Rydw i'n meddwl fod y groes yn ganolog i'r maddeuant ysgrythurol. Ac os oes unrhyw faddeuant sy'n mynd heibio i'r groes, dydi'r maddeuant hwnnw ddim yn faddeuant ysgrythurol. Roedd yn rhaid i rywun dalu'r pris er mwyn i Dduw allu maddau i ni. Ac mae'r un peth yn wir i ni allu maddau i'n gilydd. Rhaid i rywun dalu'r pris, ac felly wrth ddod â'n pechodau ein hunain at y groes, mae Duw yn ein hannog i ddod â phechodau pawb sydd wedi pechu yn ein herbyn. Ie, mae Duw eisiau i ni ddod â'r pechodau sydd wedi ein brifo i'r fan honno. Mae Duw yn dweud: Gadewch i mi wneud iawn dros y pechodau hynny hefyd.

Aeth Iesu Grist i'r groes i wneud iawn dros bechod y byd. Felly, mae'r Gair yn ein hannog i drosglwyddo i'r groes y pechodau a gyflawnwyd yn ein herbyn ni; mae'n ein hannog hefyd i ymddiried yng ngallu'r Gwaredwr i weithio hyn allan, i'n hiacháu, gan ddod â daioni allan o'r ing.

Gwelaf y marw iawnol yn ganolog i'r modd yr ydym i faddau i'n gilydd. Os ydym yn flin ac yn chwerw am rywbeth ofnadwy sydd wedi dod i'n rhan, mae Iesu Grist ar y groes yn dweud ei fod Ef am gymryd y cyfrifoldeb am hynny: Rhowch y cyfrifoldeb i mi. Barnwch fi. Gadewch i mi ddatrys hyn ar eich rhan.

Os ydym yn gwneud hynny, does dim rheswm dros beidio â maddau.

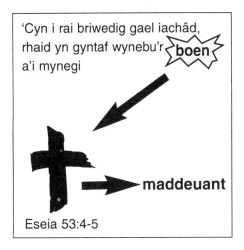

'Cyn i rai briwedig gael iachâd, rhaid yn gyntaf wynebu'r **boen** a'i mynegi

maddeuant

Eseia 53:4-5

Wedyn roeddwn yn gofyn iddyn nhw beth sydd wedi gwneud y gwahaniaeth rhwng ddoe a heddiw. 'Heddiw rydych chi'n darganfod eich bod yn gallu maddau. Pam felly?' A'u hateb:

'Wel, chi ddywedodd wrthym ni am roi ein poen i Iesu Grist, ac fe wnaethom ni union hynny. Mae hi'n anodd iawn i ni faddau pan mae ein calon ni yn llawn o boen, achos ym mhob atgof mae'r boen yn fyw iawn. Ond os ydych chi'n trosglwyddo'r cyfan i Iesu Grist, mae eich calon yn rhydd wedyn yn tydi?'

'Mae 'nghalon i'n rhydd yr un fath ag aderyn sy'n rhydd ar ei adenydd.'

'Does dim byd yn ein rhwystro ni rhag maddau yn awr.'

Gwelsom enghreifftiau trawiadol o faddau. Merch o'r enw Judith a oedd yn ddiacones ydi'r enghraifft gyntaf sy'n dod i'm meddwl. Roedd hi wedi colli 200 allan o'i theulu estynedig o 250. Cofiaf hi'n wylo'n ofnadwy pan ddaeth hi at y groes, ond drannoeth dywedodd ei bob hi'n barod bellach i fynd i ymweld â'r teulu a laddodd gynifer o'i theulu hi. Roedd y prif un yn y carchar, ond roedden nhw i gyd yn y dorf. Cyfaddefodd ei bod hi'n ofni mynd, a holodd a fyddai rhywun arall yn mynd gyda hi'n gwmni. Dau weinidog a oedd yn byw yn yr un ardal â hi yn gwirfoddoli.

Byddem yn cynnal cwrs dilyniant dri mis wedyn, er mwyn gweld ai profiad emosiynol a di-sail oedd y cyfan a welwyd yn ystod y tridiau. Yna dychwelyd unwaith eto ymhen amser i fonitro'r cynnydd ymhellach. Yr hyn a welais pan ddychwelais oedd pobl yn tystio i wyrth a ddigwyddodd y diwrnod hwnnw pan hoeliwyd eu poenau ar y groes. Dyma'r math o dystiolaeth a glywn:

'Digwyddodd gwyrth y diwrnod hwnnw. Byth ers hynny rydw i wedi bod yn siarad am faddeuant.'

Beth a ddigwyddodd i'r ddiacones pan ddaeth hi wyneb yn wyneb â'r llwyth a laddodd ei theulu niferus? Dyma oedd ei geiriau:

'Does gen i ddim teulu rŵan, felly rwyf am i chi fod yn deulu i mi. Rydw i'n eich caru chi yn awr ac wedi maddau i chi. Er mwyn dangos mod i o ddifrif rwy'n awyddus i chi ddod i'm cartref i a

Maddeuant

chydfwyta gyda mi a 'nhad' (yr unig un o'r teulu agos a oedd ar ôl).

Mae tua dwy fil o storïau fel hyn wedi cael eu cofnodi, yn sôn am brofiadau pobl o bob rhan o Rwanda, a phrif fyrdwn eu neges ydi bod rhywbeth mawr wedi digwydd iddyn nhw wrth y groes. Weithiau deuai maddeuant mewn cyd-destun gwahanol i'r seminarau. Un hanesyn arbennig sy'n dod i'm cof ydi hwnnw am wraig o'r enw Deborah a gollodd ei mab yn 1997. Roedd yna ymladd bryd hynny yng ngogledd y wlad, ac fe laddwyd ei hunig fab gan filwr. Dri mis yn ddiweddarach fe ymddangosodd y milwr wrth garreg drws ei chartref, a chyfaddef wrthi mai ef a laddodd ei mab.

'Byth er pan wnes i hynny, bob tro rwy'n ceisio cysgu rwy'n gweld yn fy meddwl ddarlun ohonoch chi yn gweddïo, ac rwy'n gwybod eich bod chi'n gweddïo drosof fi. A fedra' i ddim dioddef

hyn ddim chwaneg. Felly rwyf wedi dod atoch chi i ofyn ichi fynd
â mi at yr awdurdodau. Gwnewch beth fynnwch gyda mi.'

Edrychodd y wraig ar lofrudd ei mab, ac meddai: 'Rwy'n gweld
rŵan nad anifail ydych chi, gan eich bod chi wedi medru edifarhau.
Rwy'n falch iawn o hynny. Os af i â chi at yr awdurdodau, efallai y
gwnân nhw ddelio gyda chi mewn modd egar iawn, ac efallai eich
lladd. Pam ddylwn i ychwanegu un farwolaeth at farwolaeth arall?
Ond rwyf eisiau cyfiawnder, gan fy mod wedi colli fy unig fab.
Felly rwyf am ofyn i chi a wnewch chi fod yn fab i mi yn lle yr un
ddaru chi ei ladd.'

Wedyn, ar y fideo a wnaed ohoni yn adrodd yr hanes, mae hi'n
gwenu, ac yn rhoi ei llaw ar ei chalon ac yn dweud:

'Mae o wedi bod yn fab imi bellach ers tair blynedd ac mae o
wedi edrych ar fy ôl i, ac rwyf innau wedi edrych ar ei ôl yntau.'

Gallwn ysgrifennu llyfr cyfan ar hanesion maddeuant yn unig.
Efallai rhyw ddydd y caf sgrifennu llyfr yn Saesneg, o bosibl gyda'r
teitl 'Fire-lilies: beauty from ashes in Rwanda'.

Wedi i bobl dystiolaethu ar y trydydd bore fod eu calonnau
bellach yn rhydd a'u bod yn abl i faddau am y tro cyntaf, wedyn
roedd yna gwestiynau dyrys iawn yn codi.

Pa fath o gwestiynau oedden nhw'n eu gofyn?

Roedden nhw'n gofyn pethau fel hyn: 'Os ydw i wedi maddau, a
ddylwn i roi i'r awdurdodau enwau'r rhai sydd wedi lladd fy
nheulu i? Mewn geiriau eraill, os ydw i wedi maddau, sut fedra i
fod yn gyfrwng iddyn nhw efallai golli eu bywyd?'

Hefyd cwestiynau dyrys fel: 'Beth ydi rôl gweinidog pan mae
pobl yn dod ato ac yn cyffesu eu bod nhw wedi llofruddio a lladd?
Beth ddylai gweinidog ei wneud?'

Roedd yna drafod dwys a difrifol ar y pynciau hyn. Ceisio edrych
wedyn ar yr egwyddorion yn yr Ysgrythur, ac yn arbennig ar
Rufeiniaid 12, lle y cawn orchymyn i beidio â dial ond gadael hynny
i ddicter cyfiawn Dduw. Yna, yn Rhufeiniaid 13, mae Paul yn sôn

am yr ustusiaid heddwch sy'n weision Duw yn erbyn drygioni yn y gymuned. Gweld, felly, na allwn ni fel eglwysi beidio â chyd-fynd â'r mudiad i weinyddu cyfiawnder, ond y gallwn wneud hynny mewn ysbryd grasol, a thystiolaethu ein bod fel unigolion wedi maddau, ac yn dymuno'n dda i'r person. Hefyd pwysleisio y byddai'n rhaid iddyn nhw ddweud y gwir fel Cristnogion pe bai gofyn iddynt roi tystiolaeth mewn llys, ond ychwanegu eu bod wedi maddau i'r troseddwr.

Teimlwn yn annigonol iawn i ddweud wrthyn nhw beth i'w wneud. Pwy oeddwn i i roi cyngor iddyn nhw? Felly, wrth fynd drwy'r Ysgrythur gyda'n gilydd, fy amcan oedd eu cael nhw i wrando ar ei gilydd, ac arwain ei gilydd. Wedyn, tua diwedd y prynhawn, byddem yn dod at rywbeth arall a gafodd le o bwys yn y gweithdai, sef cwestiwn hunaniaeth lwythol. Un peth ydi maddau ble mae'r gorffennol yn y cwestiwn, ond rhaid cael gobaith newydd ar gyfer y dyfodol hefyd. Rhaid gofalu bod y bobl yn meddwl yn wahanol am y dyfodol.

9 O bob llwyth ac iaith a phobl a chenedl

Rhannais y profiad a gefais i fel Cymraes lle mae maddau i'r Saeson yn y cwestiwn, a soniais am brofiadau a gefais pan oeddwn yn y Brifysgol yn Leeds. Deuthum i adnabod nifer o Gristnogion a oedd yn Saeson a darganfod eu bod yn Gristnogion hyfryd a oedd yn fy mharchu a'm gwerthfawrogi fel Cymraes. Hefyd, ar ôl dychwelyd i Gymru, ymunais â mudiad o'r enw Lydia, sef mudiad merched yn eiriol. Ar ddechrau un grŵp gweddi ar eiriolaeth dros Gymru, mewn cynhadledd yn Abertawe, rwy'n cofio'r pwyslais yn glir. Y diwrnod arbennig hwnnw fe gyhoeddwyd ein bod i weddïo yn erbyn eilun cenedlaetholdeb. Pan glywais hynny roeddwn yn corddi tu mewn, eisiau amddiffyn fy nghenedlaetholdeb ac eisiau gadael ar unwaith. Yn fy nghalon roeddwn i'n dweud, 'Gennych chi, nid ni, y mae problem â chenedlaetholdeb. Dim ond gofyn am hawl i fod yn Gymry a wnawn ni. Dydym ni ddim yn gorfodi'n diwylliant ar neb. Chi ddaru wthio eich diwylliant arnom ni . . .' Ond cyn imi gael cyfle i wneud hynny, fe gododd un o'r merched a oedd yn bresennol, ac meddai:

'Dydw i ddim yn meddwl ein bod ni'n barod i wneud hynny. Mae 'na rywbeth pwysig y mae'n rhaid imi ei wneud gyntaf. Rwy'n dod o Fryste, ac fe glywais eich bod yn cyfarfod heddiw i weddïo yma. Teimlais Ysbryd Duw yn fy arwain i ddod yma atoch chi, ac mae gen i rywbeth i'w ofyn i Rhiannon.'

Y peth nesaf a wnaeth hi oedd penlinio o 'mlaen i a rhoi ei phen ar fy nhraed i gan ddechrau wylo. Wedyn gofynnodd imi yn Saesneg fel hyn:

'Will you receive today the servant heart of an English handmaiden?'

Edrychais yn hurt arni, heb amgyffred ystyr ei chwestiwn. Wedyn aeth ymlaen i esbonio:

'Dydi hyn ddim yn gwneud synnwyr i chi, yn nac ydi? Oherwydd chi oedd y gweision a ni oedd y meistri.'

Pan ddywedodd hi hynny, fe dorrodd rhywbeth y tu mewn i mi. Sylweddolais mai felly yr oedd cenedlaethau o'n pobl ni wedi teimlo, fel gweision i'r Sais. Roedd hi wedi agor briw ynof fi a oedd yn friw ym môn y genedl, ac fe ddechreuais feichio crio. Roedd yn edrych arnaf mewn dagrau ac yn ailadrodd bod yn ddrwg ganddi. Aeth yn ei blaen i esbonio:

'Dim ond yn ddiweddar y gwnes i ddarllen rhywbeth am hanes Cymru, a chyn hynny doeddwn i ddim yn gwybod beth oeddem ni fel Saeson wedi ei wneud i chi. Dysgais, wrth ddarllen, ein bod ni wedi archolli eich ysbryd chi, eich gormesu chi, a'ch dibrisio.'

Doeddwn i ddim wedi clywed unrhyw un yn rhoi hyn mewn geiriau o'r blaen. Yna dywedodd: 'Heddiw wnei di dderbyn, nid calon Saesnes, ond calon gwasanaethferch?'

Roedd gen i ddewis yn awr, un ai derbyn neu wrthod. Ond wrth weld ei dagrau hi, a gweld o'm blaen rywun a oedd yn deall ein poen ni, doedd gen i ddim dewis. A dyma ni'n cofleidio ac yn wylo gyda'n gilydd.

Credaf i mi faddau, y bore hwnnw, hanes Lloegr yng Nghymru. Y cam nesaf wedyn oedd i minnau edifarhau oherwydd ein drwgdybiaeth ni, a'r duedd ynom i fod yn neis o ran wyneb ond dweud pethau cas y tu ôl i'w cefnau nhw. Roedd yna rywbeth pwysig yn digwydd yn fy nghalon i y diwrnod hwnnw, gan fod gwlad bob amser mewn perygl o fod yn eilun. Dechreuais ofyn beth ddylai agwedd Cristion fod tuag at genedlaetholdeb. Gofynnais i Dduw ddangos i mi beth sy'n iawn a beth sydd ddim yn iawn.

Rai misoedd yn ddiweddarach roeddwn yn Birmingham gyda chyfnither, ac aethom i wrando ar gôr o Gymru yn canu yn neuadd y ddinas. Roeddem yn eistedd yn y galeri, ac wrth ein boddau ein dwy. Ymfalchïo yn fy ngwreiddiau yr oeddwn i, gan ddweud pethau fel hyn wrthyf fy hun: 'Dyma fy ngwreiddiau i, dyma fy mhobl i a dyma fy ngwir hunaniaeth.' Yna, yn sydyn, daeth cwestiwn i'm meddwl, sef hwn: 'Pe bai côr arall yn dod ar yr un llwyfan, a'r côr hwnnw'n cynnwys pobl sy'n caru Duw, o bob llwyth a phob iaith, pa gôr fyddet ti'n ymuno ynddo? Â pha bobl y byddet yn uniaethu â nhw?' A'm hymateb oedd, 'Byddwn am uniaethu â'th bobl Di, yn sicr a heb ddim amheuaeth.'

Y cam nesaf oedd holi fy hun a oedd gen i hunaniaeth wahanol, ac os oedd gen i hunaniaeth wahanol beth oedd hynny'n ei olygu yn ymarferol. Wrth eistedd yno yn gwrando ar y canu, dyma gael fy hun yn ystyried pethau yn fy meddwl, gan ofyn beth yn union y mae hyn i gyd yn ei olygu. Dyma gofio adnod: 'Ond yr ydych chwi yn hil etholedig, yn offeiriadaeth frenhinol, yn genedl sanctaidd, yn bobl o'r eiddo Duw ei hun, i hysbysu gweithredoedd ardderchog yr Un a'ch galwodd chwi allan o dywyllwch i'w ryfedd oleuni ef' (1 Pedr 2:9).

Y geiriau a fynnai aros yn fy meddwl oedd 'yn genedl sanctaidd'. Pwy ydi'r genedl sanctaidd hon? Nid Israel, gan fod Pedr yn ysgrifennu'r Epistol at y credinwyr yn y gwahanol wledydd i gyd, ac yn eu hatgoffa mai *nhw* ydi'r genedl sanctaidd. Dechreuais deimlo yn llawn cynnwrf oddi mewn, wrth weld mai allan o gredinwyr ym mhob llwyth y mae Duw yn creu cenedl newydd, a honno'n genedl oruwchnaturiol, lle mae yna gynrychiolwyr o bob llwyth ac iaith, a phawb yn gydradd ynddi. Roedd fy hunaniaeth i, felly, fel Cymraes yn rhan o rywbeth mwy. Nid fy mod i'n peidio â bod yn Gymraes ond fy mod i, yn gyntaf oll, yn ddinesydd yn y genedl sanctaidd.

Byddwn yn sôn yn y gweithdai am yr egwyddor hon, y

gwirionedd pwysig hwn. Yn Ne Affrica, er enghraifft, er mwyn esbonio mewn ffordd weledol, penderfynais wneud gwasgod werdd gyda draig goch fawr arni, yn agos at fy nghalon. Soniais wrthyn nhw am fy hunaniaeth fel Cymraes ac am y modd y teimlwn yn ddi-baid, wrth dyfu a phrifio, fod pobl eisiau tynnu'r wasgod oddi amdanaf a'm troi yn Saesnes, gan greu'r ymdeimlad ynof nad cystal hunaniaeth oedd bod yn Gymraes. Po fwyaf roeddwn i'n clywed hynny, mwyaf i gyd roeddwn i'n amddiffyn ac yn dal yn dynn yn y wasgod. Po fwyaf roedd pobl yn dibrisio'r iaith a'r diwylliant, mwyaf i gyd roedd y pethau hynny yn tyfu'n bwysig yn fy ngolwg, nes yn y diwedd roeddent wedi mynd yn holl-bwysig i mi ac yn eilun. Wrth fwytho'r wasgod, gallaf ddangos hyn yn weledol. Os y 'wasgod' oedd fy hunaniaeth, yna roeddwn i'n gwyro i lawr ac yn teimlo'n eilradd ac eisiau ymladd hefyd i amddiffyn. Yr hyn a ddigwyddodd i mi yn neuadd y ddinas oedd bod Duw wedi cynnig i mi wisg frenhinol y deyrnas sanctaidd. Ac i ddangos hyn yn weledol fe wnaeth un o'r gwragedd wnïo gwisg hardd o borffor ac aur i mi. Wedyn fe osodais faner fach o Gymru a nifer o faneri bach o wledydd eraill o amgylch gwaelod y wisg frenhinol. A'm cwestiwn i'r rhai sy'n gwrando arnaf ydi pa un o'r ddwy wisg y byddaf yn dewis ei gwisgo.

Egwyddor bwysig gan Dduw ydi nad ydi o'n cymryd dim byd oddi arnom ni heb fod ganddo rywbeth gwell i'w roi yn ei le. Dim ond ar ôl imi weld y wisg hardd yr oeddwn yn barod i dynnu'r wasgod werdd a gwisgo gwisg y genedl sanctaidd. Gorffen drwy ddangos y faner fach o Gymru a dweud mod i'n parhau yn Gymraes, ac felly yn gallu dod â phob peth sy'n dda yn fy niwylliant i harddu'r genedl sanctaidd. Dyna ddymuniad Duw: ein bod yn dod â phob peth sy'n dda yn ein diwylliannau gwahanol at oleuni'r Gair a gadael pob peth sydd ddim yn dda wrth y groes.

Caiff hyn le o bwys yn y seminarau, gyda phobl yn uniaethu â'r hyn a ddangosaf. Dyma sut maen nhw'n dadlau: 'Dim Hwtw a Twtsi ydym ni nawr, gan ein bod yn Gristnogion ac yn gydetifeddion yn y genedl sanctaidd.' Ar ôl hynny, cawn gyfnod o edifeirwch fel aelodau o'r genedl newydd. Mae hyn yn arbennig o berthnasol yn Ne Affrica gan fod cynifer o ddiwylliannau gwahanol yn byw yno. Dydi hyn ddim mor wir o bell ffordd am Rwanda. Does dim gwahaniaeth ieithyddol na diwylliannol rhwng y ddwy ochr yno. Does yna ddim gwir reswm dilys dros barhau â'r enwau Hwtw a Twtsi gan mai enwau sydd wedi cael eu defnyddio dros anghyfiawnder ydi'r ddau mewn gwirionedd. Does yna ddim gwahaniaeth yn eu diwylliant. Ac erbyn hyn y mae'r llywodraeth yn Rwanda wedi dileu'r ddau enw ar y cardiau adnabod yn y wlad. Dim ond yr enw 'Rwandiaid' sy'n cael ei ddefnyddio wrth gyfeirio at bobl Rwanda.

Y cam nesaf wedyn ydi edifeirwch. Byddaf yn sôn ychydig am yr egwyddor o sefyll yn y bwlch (Esec. 22:30). Byddwn yn edrych ar hanes pobl yn y Beibl: rhai fel Nehemeia, Daniel, Esra ac, wrth gwrs, y mwyaf ohonyn nhw i gyd, Iesu Grist a gafodd 'ei gyfrif gyda throseddwyr' (Eseia 53:12). Byddwn yn trafod hefyd y fraint fawr a ddaeth i'n rhan fel aelodau o'r 'offeiriadaeth frenhinol' gan ein bod, fel Iesu Grist, yn cael ein galw i sefyll yn y bwlch ar ran ein cenedl, fel y gwnaeth y Gwaredwr pan oedd ar y ddaear. Cawn ein galw i uniaethu gyda'r pechaduriaid a chyffesu beiau ein grŵp ni a gofyn am faddeuant i'r bobl hynny a gafodd eu niweidio. Wedyn mae mwy o obaith iddyn nhw i dderbyn gras i faddau, gan fod rhywun wedi mynegi mewn geiriau fod yr hyn a wnaed yn eu herbyn nhw yn anghywir. Wrth glywed geiriau o'r fath yn cael eu llefaru ac apêl ar iddynt hwythau faddau, mae cymod yn bosibl.

Byddaf yn rhannu fy mhrofiad gyda'r ferch o Loegr a'r ffordd y defnyddiwyd hi gan Dduw i ddod â newid mawr i'm calon. A'r tro cyntaf i mi rannu'r egwyddor yma, gallwn deimlo'r Ysbryd Glân yn dweud wrthyf fod yn rhaid i mi fod y cyntaf i edifarhau am yr effeithiau y gallwn eu gweld o'm cwmpas yn Rwanda. Ond, meddyliwn, gwlad Belg a fu'n gyfrifol am y cynlluniau gwleidyddol a arweiniodd at y fath anhrefn. Beth oedd a wnelo Cymru â'r helynt? Gallwn deimlo Duw yn dweud wrthyf fod gen i ddewis, sef naill ai dweud union hynny, os hynny oedd fy

Seryll yn y bwlch

nymuniad, neu ddewis uniaethu gyda gwlad Belg, fel rhan o Ewrop. Pam? Wel, efallai na fyddai neb o wlad Belg yn dod i ofyn am faddeuant. Mewn geiriau eraill, roeddwn i'n cael cyfle i wneud hyn ar eu rhan. A'r foment honno o sylweddoli yr hyn yr oedd disgwyl i mi ei wneud, gofynnais i'r Arglwydd roi dawn edifeirwch imi. Yna, pan oeddwn ar fin edifarhau am yr hyn a oedd newydd ddigwydd yn Rwanda, gallwn deimlo Ysbryd Duw yn dweud wrthyf am fynd yn llawer pellach yn ôl i'r hanes na hynny. Cofio wedyn fod Ewrop wedi pechu yn erbyn cyfandir Affrica yn ddifrifol, gan ddechrau gyda hanes y caethweision, a'n bod ni Ewropeaid wedi treisio'r holl gyfandir drwy gydol hanes gwladychiaeth ('colonialism'), a bod y cenhadon, hyd yn oed, a aeth allan i wledydd Affrica yn ddidwyll gan wneud eu gorau, yn blant eu hoes, a'u bod hwythau'n credu'n gydwybodol ein bod ni'n well ac ati. Ni i fyny yma yn eu helpu nhw i lawr fan yna.

Tystiolaeth pobl Affrica oedd eu bod yn aml yn cael neges yr Efengyl, sef neges o newyddion da, yn cael ei chynnig drwy un llaw ond neges arall yn cael ei chyfleu drwy'r llaw arall, sef eu bod nhw'n israddol a bod y dyn gwyn, i bob ymddangosiad, yn haeddu gwell bywyd bob dydd na'r dyn du. Mae yna rywrai bob amser yn y seminar sydd wedi cael eu brifo, ryw dro neu'i gilydd, gan agwedd uwchraddol un o'r cenhadon. Y cam nesaf, felly, ydi i mi ofyn am drugaredd Duw ar ran fy mhobl i o Ewrop am y ffordd rydym ni wedi pechu yn eu herbyn. Wrth fy nghlywed yn gwedd'io fel hyn, bydd pobl o'm cwmpas yn dechrau wylo, gan ddweud nad ydyn nhw erioed wedi clywed y fath beth, ac na wnaethon nhw erioed feddwl y bydden nhw'n clywed rhywun croenwyn yn dweud geiriau o edifeirwch fel hyn. Canlyniad hyn ydi eu bod nhw wedyn yn sefyll ac yn cyfaddef eu bod wedi ein casáu ni'n ofnadwy. Maen nhw'n apelio wedyn ar i ni faddau iddyn nhw am gredu na allai dim byd da ddod o'r gwledydd gorllewinol, oherwydd y dioddef mawr. 'Maddeuwch i ni am gredu eich bod chi fel pobl yn gwbl hunanol, a'n tuedd i'ch barnu chi'n ofnadwy oherwydd ein dioddefaint yn y gorffennol.'

Rwy'n cofio yn arbennig un prifathro ysgol, mewn dagrau, yn diolch i Dduw fel hyn: 'Diolch na wnes i ddim marw cyn heddiw, oherwydd roeddwn i'n Gristion ond roeddwn i'n eich casáu chi. Ac er mod i'n Gristion rwy'n siŵr y byddai Duw wedi fy anfon i uffern, oherwydd roedd fy nghalon yn llawn o gasineb tuag atoch chi. Yn wir, fe ddysgais fy nisgyblion yn yr ysgol i'ch casáu chi hefyd. O maddeuwch i mi.'

Aeth ymlaen wedyn i addo fel hyn: 'Unwaith y bydd y gweithdy hwn drosodd, byddaf yn dychwelyd i'r ysgol. Yno rwy'n mynd i edifarhau yn gyhoeddus o flaen y plant, ac rwyf am ddweud wrthyn nhw ei bod hi'n hen bryd i bob casineb a phob barnu ddod i ben. Mae hi'n bryd inni barchu a charu ein gilydd.'

Un enghraifft ymhlith llawer ydi'r prifathro hwnnw.

Unwaith y mae'r cyfaddefiad ar ran y Gorllewin y tu cefn i ni, maen nhw wedyn yn cyfaddef nad ydym yn ddrwg i gyd. 'Ni, wedi'r cyfan, ac nid y bobl wynion, ddaru godi'r *machetis*. Ni ddaru ladd mewn ffordd erchyll fel hyn. Rhaid i ni gymryd cyfrifoldeb drosom ni ein hunain.'

Ym mhob gweithdy rydym wedi profi amser o edifeirwch, a hwnnw'n mynd ymlaen am ddwy awr neu dair – edifarhau oherwydd eu hagweddau nhw a hefyd edifarhau ar ran eu llwyth. Maen nhw'n dal ar y cyfle i groesi at ei gilydd, yn Hwtws a Thwtsis. Yr Hwtws, yn aml, yn torri eu calon gan mai eu llwyth nhw a weithredodd yr hil-laddiad; y Twtsis wedyn yn codi ac yn gofyn maddeuant ar ran eu cyndadau a oedd wedi gormesu'r Hwtws a pheri casineb yn eu herbyn dros genedlaethau. Rhai wedyn yn cyfaddef iddyn nhw lawenhau pan glywon nhw am y colera a oedd wedi torri allan yng ngwersylloedd yr Hwtws wedi iddyn nhw ddianc ar ôl yr anfadwaith erchyll. 'Pan glywsom eich bod chi'n marw yn eich miloedd gyda cholera, roeddem yn llawenhau. Rydym eisiau cyffesu a gofyn ichi faddau inni am agwedd ein calonnau ninnau.' Ac roedd hyn yn batrwm a gâi ei ailadrodd ym mhobman. Diolch am waith yr Ysbryd Glân y mae ei effeithiau i'w gweld yn Rwanda.

Pwy sy'n arwain y gweithdai heddiw?

Yn 1997 llwyddais i drosglwyddo'r gwaith i Hwtw a Thwtsi o Rwanda sy'n cynrychioli'r ddau begwn – dau ddyn na fydden nhw, yn naturiol, yn gwneud dim gyda'i gilydd heb sôn am gynnal gweithdy cymod. Pan fydd y ddau yn dysgu yn y gweithdy, bydd y ddau yn gorfod cynrychioli eu pobl gan ofyn am faddeuant. Y cyntaf i wneud hyn fydd Anastase, y Twtsi, sydd wedi colli llu o'i berthnasau. Bydd gweld Anastase yn codi fel hyn yn sioc i'r Hwtws gan mai dyma'r peth olaf maen nhw'n disgwyl iddo ei wneud wedi'r fath golledion. Bydd Anastase yn dechrau drwy ddarllen adnod o Alarnad Jeremeia lle mae'r proffwyd yn dweud bod ein tadau ni wedi pechu a'n bod ni yn awr yn dioddef eu cosb nhw. Aiff ymlaen i esbonio i'w lwyth ef gyd-fynd yn llwyr â'r dyn gwyn pan

Y tîm cenedlaethol yn Rwanda.
O'r chwith: Joseph yr arweinydd, Noel y dreifar a'r eiriolwr,
Anastase yr arweinydd cyntaf, a Phineas y gweinyddwr.

benderfynwyd eu ffafrio nhw, y Twstis, ar draul yr Hwtws. Yn ei eiriau ef: 'Wnaethon ni ddim dweud bod hyn yn anghywir ac yn anghyfiawn. Yn hytrach roeddem wrth ein bodd yn cael ein dyrchafu gan dderbyn breintiau i'w mwynhau. Yna fe ormesodd fy nghyndadau i eich cyndadau chi, ac roedd hynny'n wir amdanom ni hyd yn oed cyn i'r dyn gwyn ddod. Rydym ni'n bobl falch o ran natur, a'n tadau a heuodd hadau'r casineb a roddodd fod i'r hil-laddiad. Felly mae'n rhaid i ni edifarhau.'

Ymateb yr Hwtws wrth glywed hyn ydi beichio wylo. Yna mae Joseph yn codi ar ei draed ac yn torri ei galon am yr hyn mae ei lwyth o wedi bod yn euog ohono yn ystod yr hil-laddiad. Mae cyffes Joseph wedi bod yn foddion iachâd i lawer o'r Twtsis.

Erbyn hyn mae Anastase a Joseph wedi bod yn hyfforddi timau

Y timau rhanbarthol yn Rwanda

drwy'r wlad i gyd, ac mae gennym dîm ym mhob rhanbarth. Maen nhw, felly, yn awr yn cynnal gweithdai eu hunain, ac mae'r un eneiniad, os nad mwy o eneiniad, ar eu gwaith. Maen nhw'n gweld gwyrthiau'n digwydd yr un fath yn union, ac mae hynny'n galondid mawr i'r ddau yn y gwaith o arwain timau.

Gallaf feddwl am un man o'r enw Sake lle roedd yna ymdeimlad cryf o drymder ysbryd. Pan ddechreuais holi'r rhai a oedd gyda mi am yr awyrgylch a'r anawsterau, dyma un yn digwydd dweud bod yr adeilad eglwysig lle roedd y seminar yn cael ei gynnal yn un o'r safleoedd lle y cyflawnwyd erchyllterau a lle y lladdwyd cymaint â dwy fil o bobl. Yn y gorffennol roedd adeiladau eglwysig wedi cael eu parchu fel lleoedd o noddfa, a phobl yn meddwl, felly, eu bod nhw'n ddiogel rhag y gelyn oddi mewn i'w muriau. Fe ddefnyddiodd y 'milisia' hyn i annog pobl i fynd am gysgod i'r eglwys, ac fel roedd yr eglwys yn orlawn roedden nhw'n taflu grenadau i mewn. Fe laddwyd mwy o bobl mewn eglwysi nag mewn adeiladau eraill.

Pan glywais fod yr eglwys hon yn fan lle roedd y bobl yma wedi eu lladd, yr adnod a ddaeth i mi oedd hon: 'A dywedodd Duw, "Beth wyt wedi ei wneud? Y mae llef gwaed dy frawd yn gweiddi arnaf o'r pridd." ' (Genesis 4:10). Roedd gwaed merched a phlant yn galw arnom o'r tir a oedd dan ein traed. Edrychodd Josepha minnau ar ein gilydd a dweud bod yn rhaid i ni gael amser o edifeirwch arall y prynhawn hwnnw, a minnau'n dweud mod i'n awyddus i gydnabod rhan Ewrop yn y broblem yn y man arbennig yma. Roeddwn yn teimlo'r peth i'r byw. Penliniais ar y llawr yng nghanol yr eglwys a chyffesu ein pechodau ni yn defnyddio gwlad fel Rwanda i weithio allan ein cynlluniau gwleidyddol ein hunain.

Wedyn dyma Joseph yn dechrau wylo yn uchel a dweud fel hyn: 'Rwy'n gallu clywed lleisiau yn yr Ysbryd, sef lleisiau merched a phlant yn gweiddi allan am drugaredd, a doedd yna ddim trugaredd. Dim trugaredd gan fy mhobl i.' Roedd Joseph erbyn hyn yn torri ei galon, ac ymunodd nifer o Hwtws eraill hefo fo. Y munud nesaf dyma fintai o wragedd gweddwon (Twtsis) a oedd wedi colli eu teuluoedd yn y gyflafan yn dweud eu bod nhw eisiau dod i benlinio gyda ni. Roedd tua chwech ohonyn nhw i gyd, ac aethon nhw ar eu gliniau a chyfaddef nad oedden nhw yn ddi-fai eu hunain. Aeth hyn ymlaen am gyfnod, a'r adnodau yn llyfr y Diarhebion am daenellu gwaed diniwed yn fyw iawn yn fy meddwl. Esbonia'r Ysgrythur fod Duw yn casáu tywallt gwaed cyfiawn fel hyn.

Y cwestiwn mawr a bwysai ar fy meddwl i oedd hwn: 'Beth allai unrhyw un ei wneud i geisio gwneud iawn dros yr hyn a oedd wedi digwydd?' Cyn gynted ag y gofynnais y cwestiwn, roeddwn i'n gwybod yr ateb. Dim ond un gwaed a allai ateb y gwaed a oedd yn gweiddi allan o'r tir, a hwnnw oedd gwaed Iesu Grist ei hun. Wedyn sylweddoli bod marw iawnol Iesu Grist ar y groes wedi digwydd nid yn unig dros bechodau unigolion ond dros sefyllfaoedd ac achlysuron hefyd. Cawn fy hun yn siarad â'r Gwaredwr mewn syndod: 'Arglwydd Iesu, wnest ti farw i wneud iawn dros gyflafan Sake?' Doeddwn i ddim yn gwybod sut i weddïo'n iawn, ond awgrymais ein bod i gyd yn penlinio mewn cylch mawr gan ddal ein dwylo o amgylch yr eglwys yma, ac yna dweud bod hyn i gyd wedi cael ei gynnwys yn y groes. Gofyn wedyn i Dduw gymhwyso aberth iawnol Iesu Grist ar y groes i'r sefyllfa benodol yma. Ar ôl inni wneud hynny fe weddïon ni yn erbyn pob ysbryd aflan o lofruddio a chasineb a oedd wedi cael ei ollwng yn rhydd, a gofyn ar i ysbryd cariad a brawdgarwch gael ei ollwng yn rhydd i mewn i'r gymuned.

Wrth inni adael y noson honno, roedd y gweithdy yn dal i fynd rhagddo. Yr wythnos ganlynol roedd gennym encil ar gyfer ein timau, ac roedden nhw'n ysu i rannu â ni hanes y diwrnod a ddilynodd yn Sake. Dyma oedd eu cenadwri:

'Roedd y diwrnod ar ôl yr amser o weddïo yn gwbl wahanol. Roedd yna ryw ysgafnder yn yr awyrgylch a phobl yn barod i symud ymlaen. Cawsom ddiwrnod ardderchog gyda phobl yn gofyn a fyddai modd iddyn nhw fynd i grwpiau bach i drefnu sut y gallen nhw fynd â'r neges o newyddion da i bob pentref.'

10 Y gwaith yn datblygu

Mae hi'n frwydr go iawn weithiau, fel mae'r hanesyn blaenorol yn dangos, ond drwy'r cwbl rydym wedi gweld pethau mawr yn digwydd ym mhobman, ac maent yn parhau i ddigwydd. Fe ddechreuon ni redeg y seminarau llawn ym mis Mehefin 1995. Ar ddiwedd y seminar cyntaf, fe ddywedodd y bobl a oedd yn bresennol, 'Mae'n rhaid i hyn fynd dros Rwanda i gyd. Rydym ni wedi cael cyfle i gael ein hiacháu; mae'n rhaid i'r seminar yma fynd i bob tref yn Rwanda.'

Yn ystod y flwyddyn ganlynol, dyna a wnaethom. Fe aethom i bob tref yn Rwanda, ac ym mhob man cawsom ymateb yr un fath. Gallem weld bod Duw yn cyflawni rhywbeth arbennig drwy'r wlad, ac roedd hyn ar adeg pan nad oedd gan eraill obaith, a phawb yn drist ac yn ofni'r dyfodol. Yn y seminarau, ar y llaw arall, gallem weld yr Ysbryd Glân yn torri drwodd. Roedd rhai pobl yn amheus iawn pan ddeuem yn ôl i Kigali (y brifddinas) ac adrodd yr hyn a welsom. 'Mae pobl Rwanda yn gwybod sut i actio', medden nhw. 'Does dim posibl bod gwyrthiau fel yna'n digwydd.'

Yn ystod y blynyddoedd cynnar roeddwn yn aros yn Rwanda am tua thri mis, aros gartref yng Nghymru am ryw ddau fis o seibiant, a dychwelyd i Rwanda wedyn.

Pan oeddem newydd orffen mynd i'r dref olaf, ym mis Hydref

1996, dyma'r rhyfel yn dechrau rhwng y Congo a Rwanda. Roeddem ar y ffin ar y pryd, yn agos at diriogaeth y Congo yn y De. Roedd y bomiau'n rhuthro dros ein pennau ni, a'r tanio tanllyd yn mynd rhwng y ddau adeilad lle roeddem yn aros. Profiad digon annifyr oedd hynny, ac rwy'n cofio'r milwyr yn dod i mewn atom a dweud, 'Rydych chi ar y llinell saethu fan hyn. Heno, mwy na thebyg, bydd y saethu'n dechrau eto. Felly diffoddwch eich goleuadau, a chysgwch o dan eich gwelyau.'

Roedd arnaf fwy o ofn y mân ymlusgiaid o dan y gwely nag o ofn y bomiau uwchben y gwely! Roeddwn yn benderfynol na wnawn gysgu ar y llawr. Darllenais adnod o Salm 91 a ddywedai 'ni ddaw pla yn agos i'th babell'. Ac roedd y rhwyd atal mosgitos yn union yr un fath â phabell yn y modd roedd wedi ei gosod i hongian. Ac meddwn, 'Iawn, rwy'n mynd i mewn i 'ngwely o dan y rhwyd ac ymddiried na fydd dim byd yn taro fy "mhabell".' Roeddem yn ddiogel – er i un o'r bomiau daro'r Eglwys Gadeiriol y tu cefn i ni – ond roedd yn brofiad gwerthfawr oherwydd roedden nhw'n dweud wrthym wedyn, 'Rydym yn gwybod yn awr eich bod yn ein caru ni oherwydd eich bod yn fodlon mentro'ch bywydau. Rydych yn fodlon bod yn yr un sefyllfa â ni. Rydym yn gwybod nad ydych chi yma am unrhyw reswm arall.'

Daeth yr ymladd yna i ben, ond roedd llawer o helynt yn y Congo ei hun, a'r hyn a ddigwyddodd oedd fod gwersylloedd y ffoaduriaid yn y Congo wedi cael eu cau. Roedd angen gwneud hynny, a dweud y gwir. Roedd y ffoaduriaid wedi bod yno am ddwy flynedd, dwy filiwn ohonyn nhw, rhai yn euog, rhai eraill yn ddieuog. Ac roedd y rhai euog wrthi'n cynllwynio i ddychwelyd i Rwanda a pharhau'r hil-laddiad a'i orffen. Roedd yna lawer o fraw, llawer o ofn, ac fe ymosododd milwyr Rwanda ar y gwersylloedd yn y Congo. Digwyddodd hynny ar ôl i'r awdurdodau yn Rwanda ofyn (dros gyfnod o ddwy flynedd) i'r gymuned ryngwladol am gymorth a phawb wedi gwrthod gwneud unrhyw beth i helpu i ddatrys y broblem. Yn y diwedd bu'n rhaid gweithredu ac aeth byddin Rwanda i mewn i'r Congo. Daeth miloedd o'r Hwtws yn ôl adref; aeth rhai yn ddyfnach i mewn i'r Congo a dioddef llawer mwy drwy hynny. Ond yn achos y rhai a ddaeth adref, dyma oedd yr arbrawf mawr. Roeddwn i yng Nghymru pan welais ar y teledu y ffoaduriaid yn dychwelyd. A meddyliais, 'O bobl bach, dyma'r prawf mawr. Mae'n burion dweud eich bod wedi maddau i bobl sy'n ddigon pell oddi wrthych, yr ochr arall i ffin mewn gwlad arall, yn marw o colera mewn gwersyll ffoaduriaid. Ond os ydyn nhw'n dychwelyd i fyw y drws nesaf, mae hynny'n beth hollol wahanol.'

Roeddwn yn gweddïo y byddai'r rhai a fu drwy'r seminarau yn cymryd y cam cyntaf i estyn allan at y ffoaduriaid a oedd yn dychwelyd adref a cheisio cymod gyda nhw. Wrth gwrs, roedd hynny'n beth mawr i'w ddisgwyl. Wedyn, ymhen mis neu ddau, fe euthum yn ôl i Rwanda. Roeddwn wrth fy modd oherwydd roeddwn yn clywed hanesion yn dod o bob rhan o'r wlad am beth yn union oedd wedi digwydd. Er enghraifft, roedd un o'r ffoaduriaid wrth ddychwelyd yn gwisgo carpiau. A dyma rhywun yn dweud, 'Hwnna oedd un o'r llofruddion mwyaf.' A dyma Ysbryd Duw yn dweud wrth galon un o'r rhai a'i gwelodd ac a fu drwy'r seminar, 'Rwyf am iti roi dy siwt orau iddo fo', a honno oedd ei unig siwt. Roedd mewn cyfyng gyngor drwy'r nos, ond yn y bore fe ildiodd i Dduw. Aeth i chwilio am y dyn, ac meddai, 'Rwyf eisiau gofyn am dy faddeuant oherwydd fe ddywedodd Duw wrthyf am roi fy siwt orau i ti ddoe, a doeddwn i ddim yn gallu. Maddau imi fy mod i wedi oedi cyn ufuddhau. Dyma fy siwt i ti.'

Roeddwn yn gwybod wedyn bod yn rhaid inni fynd drwy'r wlad eilwaith a chynnal seminarau eto ym mhob tref. Y tro hwn roedd yn rhaid inni ddod â dioddefwyr yr hil-laddiad yn Rwanda (Twtsis) a rhai a fu yn y gwersylloedd yn y Congo a Tansania (Hwtws) at ei gilydd. Aethom ati i gynnal y seminarau, ond y tro hwn roedd tyndra cryf yn amlwg. Gallech deimlo'r ofn a'r atgasedd a'r ddrwgdybiaeth yn yr awyrgylch. Roedd y seminar yn anodd iawn hyd nes inni ddod at yr ail ddiwrnod, sef gweithdy'r groes. Unwaith roeddem wedi bod at y groes gyda'n gilydd, roedd pethau'n wahanol. Roedd yr ymateb i weithdy'r groes yn ddyfnach nag y bu erioed. Ar ôl hynny roedden nhw'n rhannu tystiolaethau gyda'i gilydd ac yn methu credu bod y mur rhyngddyn nhw wedi ei ddymchwel. Ac roedden nhw'n mwynhau cymdeithasu a rhannu profiadau a chanu. Ac fe glywsom fod rhai wedi dal ati tan oriau mân y bore. Mewn un seminar, rwy'n cofio, yn yr amser o addoli drannoeth roedd rhai ohonyn nhw'n gryg, wedi colli eu llais oherwydd eu bod wedi bod yn canu gymaint yn ystod y nos gan eu bod mor llawn o lawenydd.

Wedi hynny fe drosglwyddais y gwaith i Anastase a Joseph, Twtsi a Hwtw, a redodd y seminarau eu hunain, a hynny gydag eneiniad mawr arnyn nhw. Mae yna rai atgofion reit ddwys, a dweud y gwir. Hyd yn oed yn 1997 roedd hi'n beryglus o hyd yn y gogledd; roedd llawer o ladd ar droed yno o hyd. Cawsom wahoddiad i dre sydd wedi ei lleoli yn ardal y llosgfynyddoedd yn y gogledd; lle peryglus ac anghyfeillgar. Roeddem wedi clywed bod pobl yn cael eu lladd yno, yn cynnwys rhai o aelodau timau cymorth o Ewrop. Ac roedd swyddogion y llysgenhadaeth Brydeinig yn Kigali yn dweud, 'Rhaid ichi beidio â mynd yno o gwbl.' Cefais sgwrs un diwrnod gydag un o weinidogion y llywodraeth. Roedd yn Gristion, a gofynnais iddo beth y dylwn ei wneud. Atebodd, 'Beth allaf ei ddweud? Mae hi'n beryglus yno. Mae yna bobl ddrwg yno. Ond mae arnyn nhw angen y gweithdy yna yn fwy nac unrhyw beth arall.' Ychwanegodd, 'Fe drefnaf osgordd filwrol ar eich cyfer. Bydd milwyr yn dreifio o'ch blaen a'r tu ôl ichi, oherwydd mae dwy awr o'r siwrne yno ar hyd ffordd sy'n beryglus dros ben. Mae cudd-ymosodiadau wedi digwydd yno a phobl wedi eu lladd. Rhowch wybod imi ac fe drefnaf yr osgordd.'

Euthum yn ôl at y tîm a dweud wrthyn nhw, 'Os oes mymryn o amheuaeth gan unrhyw un ohonoch chi na ddylech fentro eich bywydau a chithau'n bobl sydd â phlant a theuluoedd, os nad ydych yn gwbl sicr bod Duw am ichi fynd, mae'n well inni beidio â mentro.' Ond fe atebon nhw, 'Rydym yn gwbl sicr. Rydym yn mynd.' Pan ddywedais wrthyn nhw ein bod wedi cael cynnig gosgordd filwrol, dyma nhw'n edrych arnaf a dweud, 'Wyt ti'n

meddwl ein bod ni'n mynd i bregethu heddwch gyda gynnau? Mae
Arglwydd y lluoedd gyda ni; pa angen milwyr os ydi Arglwydd y
lluoedd gyda ni? Na. Rydym yn mynd fel yr ydym.'

Buom yn teithio ar hyd y ffordd beryglus amryw o weithiau, ac
roedd gennym dâp roeddem bob amser yn ei chwarae wrth fynd ar
hyd y ffordd honno. 'Rejoice Africa' ydi'r tâp, ac mae cân sy'n
arbennig i ni ar y tâp hwnnw.

> He gives me peace when trouble blows,
> Jehovah sees, Jehovah knows;
> He gives me peace, when trouble nears,
> Jehovah sees, Jehovah hears.

Roedd honno'n gân roeddem yn dal arni. Un tro fe glywsom fod
bws mini wedi ei ddal mewn cudd-ymosodiad ac wedi cael ei osod
ar dân, a phawb a oedd yn y bws wedi eu lladd. Roedd un o'n
timau ni o'r gogledd yn y bws hwnnw wedi ei ladd. Wrth ddreifio
ar hyd y ffordd, daethom at y man lle cafodd y bws ei losgi, a
gwelsom y lludw ar ochr y ffordd. Fe stopion ni a syllu. Roedd y tâp
yn chwarae, a'r gân a oedd yn chwarae oedd gweddi Ffransis o
Assisi: 'Lord make me an instrument of your peace.'

Pan wnaethom gyrraedd tref Ruhengeri yn y gogledd, roedden
nhw'n llawn croeso oherwydd roedden nhw'n gwybod ein bod
wedi mentro'n bywydau i fynd yno. Cawsom fwy o ymateb yno a
gwelsom fwy o waith yr Ysbryd Glân yn y gogledd, y lle mwyaf
peryglus, nag a welsom mewn unrhyw le arall. Y tro cyntaf yr
aethom yno, tua thri chwarter awr i mewn i'r gweithdy, dyma'r
awdurdodau'n troi i fyny ac yn dweud wrthym i gyd am fynd
adref. Doedd gennym ni ddim hawl i gynnal y gweithdy, medden
nhw. Roeddwn wedi ypsetio. 'Ond mae rhai o'r gweinidogion wedi
cerdded am wyth awr i ddod i'r seminar yma!' meddwn. Eu hateb
oedd, 'Os nad ewch chi ar unwaith, mi fyddwn yn galw'r fyddin.'
Dyma'r gweinidogion yn dweud, 'Peidiwch â dadlau – mae'r rhain
yn bobl beryglus! Ewch yn ôl i Kigali. Mi wnawn ni'n siŵr y cewch
ddod yn ôl. Mae'r hyn a glywsom yn yr amser byr yma wedi

dechrau iacháu ein calonnau'n barod. Fe eglurwn hyn wrth yr awdurdodau.'

Ac yn wir, rai wythnosau'n ddiweddarach, daeth y neges eu bod wedi sicrhau hawl inni gynnal y seminar; felly yn ôl â ni. Y tro yma, yn lle 40 o weinidogion, roedd 80 yno! A chawsom amser arbennig, ac edifeirwch o'r galon a chymodi.

Ychydig yn ddiweddarach, cafodd ein canolfan yn Kigali ganiad ffôn. Awdurdodau lleol Ruhengeri oedd yno. 'Pam mai dim ond gweinidogion sy'n cael eu gwahodd i'ch seminarau? Dydych chi ddim yn meddwl bod angen iachâd ar yr awdurdodau lleol hefyd? Pam na wnewch chi ein gwahodd ni hefyd?'

'Croeso', meddai Anastase a Joseph. 'Y tro nesaf, dowch chi hefyd!'

Ar ddiwedd y seminar nesaf, safodd 11 o'r cynghorwyr lleol i roi eu bywyd i Grist. 'Dyma'r unig ffordd i ddarganfod gwir heddwch,' meddent.

Ychydig ar ôl hyn, daeth caniad arall ar y ffôn o Ruhengeri. Y 'Prefet' – sef maer yr holl sir – oedd yno. 'Bu cymaint o ddioddef yn ein hardal ni, ac mae'r lladd yn dal i ddigwydd. Mae ar bawb yma angen gobaith at y dyfodol. Rydw i'n bwriadu galw pawb i'r stadiwm leol. Allwch chi ddod â'r bobl sydd a'u calonnau wedi newid, y rheini oedd yn casáu ond sydd rŵan yn gallu maddau, er mwyn iddyn nhw ddweud wrth y boblogaeth be sy wedi digwydd iddyn nhw?

Dyna'r tîm yn penderfynu cynnal wythnos o weddi yn yr ardal, ac yna cynnal rali yn y stadiwm ar ddiwedd yr wythnos, o dan arweiniad Antoine, sef arweinydd African Enterprise. Daeth dros 7000 i'r stadiwm a chawsant amser bendithiol dros ben. Ar ddiwedd y cyfarfod, dywedodd y 'Prefet', oedd ddim yn honni bod yn Gristion, ar goedd ei fod yn dechrau credu mai ffordd Iesu Grist oedd y ffordd orau. Yr wythnos ganlynol, er syndod i bawb, daeth nifer o'r milisia 'interhamwe' o'r goedwig ac ildio i'r awdurdodau.

Bellach maent wedi cynnal raliau o'r fath drwy'r wlad. Ar ddechrau ein gweinidogaeth, roedd y llywodraeth yn erbyn yr eglwys gan ddweud bod yr eglwys yn rhan o'r broblem, felly sut y gallai fod yn rhan o'r ateb? Ond rŵan maent yn cydnabod bod gan yr eglwys ran unigryw yn y dasg o iacháu'r wlad. 'Gallwn ni roi strwythurau yn eu lle,' meddai un o weinidogion y cabinet, 'ond dim ond Duw all newid calonnau.'

Rwy'n dal i dderbyn negeseuon e-bost bron bob wythnos o Rwanda yn adrodd beth sydd wedi digwydd yn ystod yr wythnos cynt. Ar hyn o bryd mae miloedd ar filoedd yn y carchardai yn Rwanda, yn disgwyl cael eu rhoi ar brawf oherwydd eu rhan yn yr hil-laddiad. Byddai'n gwbl amhosibl defnyddio ein system gyfiawnder ni yn y Gorllewin, gan fod graddfa'r broblem mor fawr. Yn wir, fe amcangyfrifwyd y byddai'n cymryd tua 243 o flynyddoedd i wneud hynny. A dydi'r holl droseddwyr ddim wedi'u carcharu; mae nifer ohonyn nhw'n byw yn rhydd ar hyd a lled y wlad, neu'n llochesu mewn gwledydd eraill.

Eu hateb i'r broblem ydi mynd yn ôl at hen ffurf o gyfiawnder yn eu diwylliant a'i gymhwyso, sef system cyfiawnder cymunedol. Bu cyfreithwyr sy'n gweithio ar draws ffiniau gwladwriaethol yn rhoi llawer o hyfforddiant a help iddyn nhw allu gwneud hyn. Yn ymarferol, felly, mae pob pentref wedi dewis dynion didwyll i fod yn rheithwyr, a phob pentref i osod eu pentrefwyr eu hunain ar brawf. Disgwylir i bobl ddod a dweud beth a welon nhw, a dweud y gwir am yr hyn a ddigwyddodd.

Mae hyn yn digwydd yn awr (adeg y Pasg, 2003), ond yn y cyfamser mae Duw wedi gwneud gwaith nodedig drwy'r wlad ac yn arbennig yn y carchardai. Clywsom fod 60 mil wedi cyffesu eu troseddau, a'r rhan fwyaf wedi gwneud hynny oherwydd eu bod wedi cael tröedigaethau. Gwaith arbennig yr Ysbryd Glân ydi hyn.

Calondid i'r gwaith ydi clywed bod cynifer o'r rhai a ddewiswyd fel dynion didwyll yn ddynion sydd wedi bod trwy ein gweithdai ni. Yn un o'r llysoedd cefn gwlad cyntaf yn Gitarama, a gynhaliwyd ryw bythefnos yn ôl, y cam cyntaf ydi penodi rhywun i baratoi pawb ar gyfer y llys, a phwy a wnâi'r paratoi yma ond dyn o'r enw Gonsalves a fu drwy'r seminar. Dechreuodd ei waith drwy rannu gyda phawb – sef y dynion didwyll, y troseddwyr, y dioddefwyr a'r pentrefwyr – ddysgeidiaeth o'r gweithdy. Roedd pawb wedyn yn gwrando'n astud arno. Yna apeliodd ar y carcharorion i edifarhau, ac apeliodd ar y dioddefwyr i faddau iddyn nhw gan ddangos trugaredd. Meddai'r e-bost oddi wrth Joseph, 'Ni allai'r awdurdodau gredu'r hyn a ddigwyddodd wedyn wrth iddynt weld, yn y fan a'r lle, gymod yn digwydd o flaen eu llygaid.'

Gonsalves

Mae cyfryngau'r byd yn gwylio canlyniad y llysoedd hyn. Ein gweddi ydi y byddan nhw'n gweld gogoniant Duw, wrth iddo anfon ysbryd edifeirwch ac ysbryd maddeuant i'r wlad.

11 Cael nerth yn y gwaith

Yn wyneb yr hyn rydych wedi ei rannu â ni, pan fydd pethau'n anodd, os daw adegau o ddigalondid o bryd i'w gilydd, beth fydd yn eich adnewyddu chi?

A bod yn onest, dydw i ddim wedi cael adegau o ddigalondid yn Rwanda. Pan ddof yn ôl oddi yno, byddaf yn y seithfed nef gan mod i wedi gweld yr Ysbryd Glân ar waith. Yno gwelais ogoniant Duw ar waith a'r efengyl yn beth real iawn. Byddaf yn wylo bob tro y byddaf yn ffarwelio â'r bobl annwyl hyn. Ond dydw i ddim yn drist wrth adael yr amodau byw, sy'n dipyn o her: er enghraifft, gorfod byw weithiau yn yr un adeilad â llygod mawr.

Ai rhan o gyfrinach eich llwyddiant ydi'r ffaith eich bod yn cael eich derbyn yn eu plith?

Ie, yn rhannol. Rwy'n teimlo bod Duw yn dweud wrthyf na allaf fynd i helpu'r bobl hyn os nad ydw i'n barod i eistedd lle maen nhw'n eistedd a byw lle maen nhw'n byw. Byddaf yn cael byw gyda nhw yn eu cartrefi, ac mae hynny'n fraint aruthrol, oherwydd wrth imi fyw o dan yr unto gyda nhw bydd pobl yn ymddiried ynof ac yn rhannu eu meddyliau'n ddi-ofn. Rwyf wrth fy modd pan mae pobl yn dweud wrthyf mod i'n un ohonyn nhw yn hytrach nag yn un o'r tramorwyr ('muzungu').

Ceisio chwarae'r drwm yn Rwanda!

Pan fyddaf yn cyrraedd y wlad wedi bod yn ôl yng Nghymru, bydd rhai o'r plant wedi bod yn brysur yn gwneud cardiau i'm croesawu'n ôl. 'Welcome Home' ydi'r union eiriau, ac mae hynny'n cyffwrdd fy nghalon. Caf gymaint o fendith yn eu cwmni, felly peth eilradd ydi'r amodau byw. Wedi dweud hynny, yn Ne Affrica mae anawsterau mawr. Cawsom wahoddiad i fynd â'r gweithdy yno a'i chael hi'n fwy anodd o lawer gweithio yno.

Pam felly?

Wel, ar ôl i Mandela ddod i gymryd y llyw, roedd ysbryd o iwfforia yn y wlad: pobl yn meddwl y byddai popeth yn iawn bellach, a llawer o obeithion cwbl afrealistig. Erbyn hyn mae 'na sinigiaeth wedi dod i mewn a llawer o ofn a dirywiad, a dweud y gwir. Er bod rhai o'r amgylchiadau wedi gwella yn gyffredinol i'r bobl ddu, mae pethau wedi dirywio i'r bobl wyn. O ganlyniad, mae pobl yn cilio'n

119

ôl i'w pegwn eu hunain, ac wrth gynnig gweithdai cymodi mae'r bobl ddu yn llawn o amheuon ac yn sinigaidd iawn. Mae'r bobl wyn, ar y llaw arall, yn cwestiynu'r angen am weithdai cymod gan fod pobl ddu yn gweithio i'r llywodraeth erbyn hyn. Mae cymodi wedi digwydd, medden nhw, felly mae popeth yn iawn. Ond, drwy honni bod popeth yn iawn, maen nhw'n dangos nad ydyn nhw'n deall nac yn dirnad y boen sydd yng nghalon y bobl ddu. Mae mwyafrif y bobl wyn yn gyfoethog a mwyafrif y bobl ddu yn dlawd. Eu cwestiwn mawr ydi: Beth ydi cymod? Ai dweud 'mae'n ddrwg gen i' wrth ein gilydd ydi o, ac yna byw yn union yr un fath ag o'r blaen?

Ydych chi'n pwyso ar bobl i faddau yn eich seminarau?

Wrth ddod at y groes, mae maddeuant yn dilyn yn naturiol ym mhrofiad y rhai sy'n dod i'r gweithdai. Mewn geiriau eraill, nid ni sy'n gofyn iddyn nhw faddau, ond y profiad o ddod at groes Iesu Grist sy'n rhoi'r awydd yn eu calonnau i wneud rhywbeth sy'n groes i'w natur naturiol. Ond mae llawer o bobl yn sinigaidd yn Ne Affrica, achos maen nhw wedi cael llawer o weithdai ar gymodi lle mae pobl wedi ymddiheuro ac yna does dim newid. Ac mae hynny'n arwain at ddadrithiad. Hefyd, erbyn hyn, mae yna lawer o ddicter, yn enwedig ymhlith y bobl ifanc dduon, ac fe ddywedodd un newyddiadurwraig Zulu wrthym yn ddiweddar fod chwyldro ar fin torri allan fan yna. Ei hanogaeth hi i ni oedd mynd allan at yr ieuenctid. Ac mae'r troseddau ofnadwy yn Ne Affrica yn rhan o'r dicter – dicter yn erbyn bywyd a'r holl anghyfiawnderau. Gwelais hynny'n arwain at feddylfryd ymhlith yr ifanc eu bod nhw am gosbi unrhyw un, gan fynnu iawn, o ryw fath, hyd yn oed os ydi hynny'n golygu lladd. O ganlyniad, erbyn heddiw, mae De Affrica yn cael ei hystyried yn wlad sy'n ganolbwynt troseddau. Dro ar ôl tro dywedais na fyddwn yn dychwelyd yno, gan fod cael pobl i ddod i'r gweithdai yn dasg rhy anodd, gyda rhyw ddeg o bobl, efallai, yn ymddangos. Ond, er ei bod yn sefyllfa anodd dros ben, mae'r bobl sy'n gweddïo dros y sefyllfa yn dweud bod rhaid i mi fynd yn ôl, a'u bod nhw'n teimlo bod Duw eisiau gwneud rhywbeth yn Ne Affrica, a bod yr hyn rwyf i yn ei wneud yn rhan fach o'r darlun mawr. Caf fy nghymell, felly, i fynd yn ôl.

Pam y gwnaethoch chi brofi mwy o lwyddiant yn Rwanda?

Yn Rwanda roedd cymaint o Gristnogion wedi rhoi eu bywydau, wedi sefyll dros gyfiawnder ac wedi marw – arweinydd African Enterprise yn eu plith. Y mudiad Cristnogol rwy'n gweithio mewn partneriaeth ag ef yn Rwanda ydi African Enterprise. Dydyn nhw ddim wedi marw'n ofer, ac rydym yn adeiladu ar sylfaen y maen nhw, yn eu bywydau, wedi ei osod. Nid yw Duw yn gwastraffu diferyn o waed ei blant sy'n marw dros gyfiawnder. Hefyd mae'r byd wedi gweddïo dros Rwanda. Cawsom ein hunain yn Rwanda yn gwneud rhywbeth bach ond yn gweld ymateb mawr. Teimlem, yn wir, ein bod yn cael ein cario gan afon yr Ysbryd Glân yn Rwanda. Mae hi'n ddydd gras yno, ac mae adnod yn Eseia sy'n berthnasol iawn: 'Ceisiwch yr Arglwydd tra gellir ei gael, galwch arno tra bydd yn agos' (Eseia 55:6).

Mae cymaint o bobl yn troi at Grist ym mhob man, ac mae pumed rhan y Brifysgol yn cyfarfod yn gyson i weddïo. Gwlad Babyddol ydi hi, ac mae mwy na 60% o'r boblogaeth yn Gatholigion o ran enw. Mae yna waith yr Ysbryd Glân yno; ac yn yr Eglwys Babyddol hefyd, trwy'r mudiad carismataidd, mae llawer o bobl wedi agor eu calonnau i'r Ysbryd Glân. A'r hyn sy'n fendigedig ydi gweld y rhai sydd wedi agor eu calonnau i'r Ysbryd Glân yn cludo Beiblau oherwydd eu cariad at y Gair. Dywedodd un Pabydd wrthyf, 'Dydi'r Pabyddion carismataidd ddim gwahanol i chi Brotestaniaid.'

Daethom ar draws grŵp bach o bobl ifanc mewn eglwys Babyddol yn gweddïo. Pan ofynnon ni am beth yn union roedden nhw'n gweddïo, eu hateb oedd eu bod yn gweddïo ar i Dduw anfon yr Ysbryd Glân i Rwanda mewn ffordd newydd. Roedd hyn yn wahanol iawn i'r gwrthwynebiad ysbrydol cryf iawn rydym yn ei deimlo yn Ne Affrica.

Yn Rwanda, felly, rydym wedi gweld, i ryw raddau, y genedl yn cael ei heffeithio gan waith yr Ysbryd Glân, tra yn Ne Affrica rydych chi'n teimlo bod yr ymdrech fel diferyn yn y môr. Eto, yr haf diwethaf, gwelsom dorri drwodd go iawn ymhlith un o'r enwadau Protestannaidd amlwg yn Ne Affrica, sef yr 'Apostolic Faith Mission'. Roedd un o arolygwyr rhanbarthol y genhadaeth – Affricaner o'r enw Eddie – yn bresennol yn un o'r gweithdai ac wedi cael bendith arbennig. Roedd o wedi cymodi gyda gweinidogion o'r un enwad. Roedd gweinidog du ei groen wedi dioddef anghyfiawnder mawr ac fe dorrodd i lawr gan ddweud, er eu bod yn weinidogion yn yr un enwad, nad oedd cymhariaeth yn eu cyflogau. Aeth ymlaen i ddweud bod ei wraig yn wael iawn ei hiechyd ac nad oedd ganddo ddigon o fodd i fynd â hi i'r ysbyty. 'Wrth fynd allan i chwilio am rywun i'ch helpu chi, rydych chi'n gweld y gweinidog gwyn yn mynd heibio yn ei gar drudfawr. Fedrwch chi ddim peidio â theimlo.' A'i gwestiwn olaf i'r gweinidog cefnog oedd hwn: 'Ydych chi'n gwybod sut i ateb ein pobl ifanc pan fyddwn ni'n pregethu bod Duw yn Dduw cariad ac yn Dduw sydd ddim yn ffafrio? Sut ydym ni'n mynd i gadw'r to ifanc sy'n teimlo mor flin? Sut ydym ni'n mynd i'w hateb nhw?' Wel, fe dorrodd Eddie i lawr hefyd, ac fe ofynnodd a gâi olchi traed y llall, a dyna a wnaeth. Bu farw'r gweinidog hwnnw bum wythnos wedyn. Yn ystod ei waeledd, bu Eddie yn ymweld ag o yn yr ysbyty bob dydd. Daethai'r ddau yn ffrindiau mawr.

Canlyniad hyn oedd i Eddie ddweud ei fod yn awyddus i bob gweinidog yn ei gylchdaith ef ddod i'n seminar am y groes. O ddewis, mae'n well gen i, yn bersonol, weithio gydag enwadau gwahanol, ond nid hynny oedd ei gais ef fel arweinydd rhanbarthol ei enwad. Felly, gan fod Eddie wedi eu galw, roedd rhaid iddyn nhw ddod, ac fe ddaeth rhyw hanner cant. Cawsom sesiwn onest iawn, yn ystyried adnod yn Ioan: 'Ni ddaw'r lleidr ond i ladrata ac i ladd ac i ddinistrio. Yr wyf fi wedi dod er mwyn i ddynion gael

Pob llwyth yn dod ynghyd mewn seminar yn Ne Affrica

bywyd, a'i gael yn ei holl gyflawnder' (Ioan 10:10).

Dyma ni'n gofyn y cwestiwn hwn: 'Beth mae'r lleidr wedi ei gymryd oddi arnoch chi?' Roeddem yn gofyn iddyn nhw feddwl yn nhermau llwyth, gan fynd yn ôl at apartheid. Bydd pob grŵp wedyn yn gwneud rhestr o'r hyn y mae'r lleidr wedi ei ladrata oddi arnynt. Yna cawn gyfnod o adrodd yn ôl. Hefyd byddwn yn gofyn iddyn nhw nodi ar y gwaelod yr hyn sydd bwysicaf o ran y gwirionedd am gymeriad Duw y mae'r lleidr wedi ei gymryd oddi arnynt.

Mae'r adborth a gawn yn arbennig, gyda'r bobl ddu yn darllen allan bethau tebyg i hyn:

'Rydym ni wedi colli ein dynoliaeth.'
'Rydym ni wedi colli addysg.'
'Rydym ni wedi colli ein rhyddid a'n hurddas.'

Mae'r dynion gwyn yn cyfaddef wedyn eu bod hwythau wedi colli'r gwirionedd, ac o'r herwydd wedi'u hamddifadu drwy beidio â chael cymdeithas gyda'r dyn du. Cyfaddef wedyn eu bod wedi eu hamddifadu rhag mwynhau eu diwylliant.

Felly maen nhw'n gweld bod y lleidr wedi amddifadu'r ddwy ochr.

Mae'r dynion du wedyn, wrth drafod eu darlun o Dduw, yn dweud mai Duw y dyn gwyn ydi'r Duw Cristnogol. Roedd Iesu Grist yn wyn a'r diafol yn ddu. Dyna wedi'r cyfan roedd y cenhadon yn ei ddysgu, ac i goroni'r cyfan y casgliad ydi mai nhw, y bobl ddu, sy'n cael eu melltithio a'r bobl wyn sy'n cael eu bendithio. Pobl gymysg eu hil wedyn yn ystyried eu hunain yn sbwriel y wlad gan eu bod yn rhy frown i'r dyn gwyn ac yn rhy wyn i'r dyn du. Ddylem ni ddim bod yn fyw gan mai plant godineb ydym ni, ac yn gywilydd o'r herwydd i Dduw.

Mae gennym ddiweddglo arbennig wedyn yn Ne Affrica, i ddarlunio'r genedl sanctaidd ac i ddathlu 'undod mewn amrywiaeth' sy'n nodweddu'r genedl honno. Er mwyn dangos bod Cristnogion yn gyd-etifeddion yn y genedl sanctaidd, beth bynnag

Y du a'r gwyn yn cofleidio ar ddiwedd seminar yn Ne Affrica

ydi lliw eu croen, rydym yn defnyddio cyfaddasiad o rywbeth roeddem yn ei wneud yn ein cwrs ni yn y Rhyl ar gyfer gweithwyr Cristnogol. Er mwyn selio'r darlun ar eu cof, byddwn fel arweinyddion, yn ystod y toriad olaf, yn addurno bwrdd ac yn ei alw'n fwrdd y brenin (bwrdd cymun), a'i lwytho â blodau a ffrwythau o bob math a gwneud iddo edrych yn ddrudfawr gyda chanwyllbrennau aur.

Yna, wedi'r toriad diwethaf, pan fydd yr aelodau ar fin dod i mewn heb syniad o fath yn y byd ein bod ni wedi bod wrthi'n arlwyo'r ford fel hyn, byddaf i yn mynd at y drws y tu allan yn y wisg frenhinol ac yn gofyn iddyn nhw a oedd rhywun yn cofio hanes Meffiboseth, y dyn cloff a'r rebel o deulu Saul, a Dafydd y brenin yn ei wahodd ef i ddod i wledda wrth fwrdd y brenin bob dydd. Darllen wedyn yr adnod o'r Efengylau lle mae Iesu Grist yn dweud y bydd pobl yn dod o'r gogledd ac o'r de, y dwyrain a'r gorllewin ac y byddant yn gwledda gyda'i gilydd wrth ei fwrdd (Luc 13:29). Wedyn byddaf yn canu un o ganeuon Graham Kendrick sy'n sôn am y wledd sy'n barod i ddechrau, 'The Feast is ready to begin.'

Byddaf yn agor y drws wedyn iddyn nhw ddod i mewn, ac mae'n werth gweld eu hwynebau pan fyddan nhw'n gweld y bwrdd gorlwythog yn eu haros. Byddwn hefyd yn paratoi coronau allan o gardfwrdd aur a'u cymell i fynd i nôl un o'r coronau hyn a'i rhoi ar ben rhywun o lwyth gwahanol iddyn nhw. Gofyn iddyn nhw ddweud y geiriau hyn wrth osod y goron yn ei lle: 'Croeso at fwrdd y Brenin, gydetifedd yn y genedl sanctaidd.' Cawn noson wedyn o ddathlu'r genedl sanctaidd drwy fynd at y bwrdd fesul dau (o lwyth gwahanol o hyd), a chymryd y bara a'r gwin a dathlu marwolaeth Iesu Grist. Yna byddan nhw'n rhoi ffrwythau a bwydydd cain eraill i'w gilydd gan weddïo bendith dros ei gilydd, gyda cherddoriaeth fawl yn y cefndir. Mae'r cyfan fel rhyw fath o barti, ac yn y lluniau a gymerwyd o'r achlysuron hyn gallwn weld drwy'r ystafell bobl ddu a gwyn yn cofleidio ac yn gweddïo bendith Duw ar ei gilydd.

Byddwn yn gorffen drwy gael amser ffurfiol o fendithio. Mae cymaint o farnu wedi bod, ac mae barnu yn felltith. Felly, yn lle gollwng barnedigaethau i mewn i'r awyrgylch, byddwn yn cymell y gwrthwyneb. I wneud hynny, byddwn yn gwahodd pob llwyth i mewn i'r canol yn eu tro, ac yn gwneud tri pheth. I ddechrau, mae'r gweddill yn dweud beth maen nhw'n ei barchu a'i edmygu am y grŵp yma, a beth ydi'r trysor y mae Duw wedi ei roi i'r llwyth yma. (Mae Datguddiad 21 yn sôn am drysor o bob llwyth yn dod i mewn i'r Jerwsalem newydd.) Yn ail, byddwn yn datgan bendithion dros y grŵp dan sylw gan ofyn i'r Ysbryd Glân roi adnodau o'r Ysgrythur i ni: er enghraifft, 'A chwi gynt heb fod yn bobl, yr ydych yn awr yn bobl i Dduw' (1 Pedr 2:10). Yna, yn drydydd, byddwn yn gwahodd y grŵp i fynegi rhywbeth o'u diwylliant eu hunain, e.e. canu un o'u caneuon. Ac i gloi, byddwn yn canu'r geiriau canlynol yn ôl iddyn nhw:

'We love you with the love of our Lord,
We see in you the glory of the King.'

Yna mae pawb yn mynd atyn nhw ac yn eu cofleidio gan fynegi cariad ac anrhydedd iddyn nhw. Cyfnod wedyn o weddïo dros y llwyth a'u gollwng dan fendith Duw.

Y grŵp cyntaf i gael ei alw i'r canol fel hyn ydi'r bobl gymysg eu hil, sef y rhai sy'n wrthodedig yn y gymdeithas. Rydym yn pwysleisio bod gan Dduw gariad arbennig at y rhai sy'n cael eu gwrthod gan bawb arall, a bod arno eisiau rhoi anrhydedd arbennig iddyn nhw. Nhw, felly, sy'n dod ymlaen gyntaf. Mae angen i un yn eu plith wisgo'r wisg borffor ac aur i ddangos eu bod yn etifeddion llawn o'r deyrnas sanctaidd.

Gyda llaw, doedd y bobl gymysg eu hil ddim yn arfer cael caniatâd i briodi neb ond pobl gymysg eu hil. Felly, mewn ffordd, maen nhw wedi ffurfio llwyth eu hunain, gan ddatblygu eu diwylliant eu hunain fel grŵp yn Ne Affrica.

Dychwelaf at y seremoni sy'n cloi'r achlysur. Bydd pob llwyth yn dod ymlaen yn ei dro. Rhaid cyfaddef bod y bobl wyn yn ofnus dros ben, oherwydd mae cymaint o'r llwythau eraill wedi cael eu camdrin ganddyn nhw. Ond rhaid anrhydeddu'r gwynion hefyd, a chydnabod y doniau arbennig sydd ganddyn nhw.

Y rhyfeddod mawr ydi, yn wyneb yr hyn y mae'r Affricaneriaid wedi ei gyflawni yn hanesyddol, mai nhw o bawb sy'n cael eu bendithio yn fwy na neb. Ffrwyth gweladwy i'r iachâd sydd wedi digwydd yng nghalonnau'r bobl ydi hyn, ac mae'r peth yn gwbl anhygoel. Yn wir mae pobl yn dod yn unswydd o wledydd eraill i weld hyn ac i ryfeddu at y peth. Er enghraifft, dyma'r hyn sy'n cael ei ddweud am yr Affricaneriaid: 'Mae yna ddoniau arweinyddol gwych yn eich plith chi, ac rydych chi'n bobl o sêl, ac yn onest. Rydym yn gwybod os ydych chi'n ein caru ni neu'n ein casáu ni. Dydych chi ddim yn smalio a rhagrithio. Rydych yn bobl ddidderbyn-wyneb sy'n siarad heb flewyn ar dafod, ac mae hynny'n golygu ein bod ni'n gwybod lle rydym yn sefyll gyda chi.'

Calonogol ydi eu clywed yn dweud pethau fel hyn: 'Peidiwch â'n gadael ni, da chi. Rydych chi'n perthyn i ni rŵan. Gadewch inni gydweithio i ailadeiladu'r wlad yma.'

Yn naturiol, dydi'r Affricaneriaid ddim yn credu'r hyn maen nhw yn ei glywed. Y cais fel arfer, wedyn, yw iddyn nhw ganu rhai o'r Salmau yn yr hen ddull diwygiedig, mewn Affricaneg. Felly rydym yn gweld pethau godidog yn digwydd, a chan ein bod yn gwybod beth sy'n gallu digwydd, mae hi mor anodd wedyn pan fyddwn yn cael anhawster i gael pobl i ddod.

Wedi imi gyflwyno'r seminar uchod i'r arweinyddion rhanbarthol, roedd Eddie yn dal i ffonio pennaeth yr enwad a oedd yn ei swyddfa yn Johannesburg. Roedd wedi dod i'r argyhoeddiad fod rhaid i bobl yn y swyddi uchaf yn yr eglwys gael y seminar, gan mai o'r mannau uchel y mae polisïau drwg yn dod. Am ddwy flynedd doedd dim yn tycio, ac yna yn y diwedd, ym mis Awst 2002, cawsom weithdy gydag arweinyddiaeth yr eglwys. Hwn oedd y seminar anoddaf i mi erioed ei gyflwyno yn unman. Gallwn deimlo'r neges yn dod ataf yn gryf na fydden nhw'n eistedd o'm blaen pe baen nhw ddim yn gorfod bod yno. Dywedodd ambell un nad oedden nhw wedi dod i wastraffu eu hamser â phethau o'r fath.

Ddwy waith cawsom storm o fellt a tharanau gyda'r nos, ac aeth yn hollol dywyll: y system sain a phopeth wedi mynd. Roedd hyn ar adegau hollol dyngedfennol, ac roeddem yn ymwybodol o'r frwydr ysbrydol a oedd yn mynd ymlaen. Ond, wedi mynd at y groes gyda'n gilydd, dechreuodd pethau newid, ac roedd yr amser o edifeirwch yn amser arbennig. Er enghraifft, roedd yna un lle yn Cape Town, sef Ardal 6, lle roedd y bobl gymysg eu hil yn byw; ac un diwrnod roedd y llywodraeth apartheid wedi dweud bod arnyn nhw eisiau Ardal 6 ar gyfer y dyn gwyn. Roedd yna weinidog yn y seminar, a oedd yn arfer byw yn ardal 6, a thir yn eiddo iddo, tir a oedd wedi perthyn i'w daid a'i dad, tir y byddai'n ei drosglwyddo i'w blant maes o law. Ond yn ddirybudd un diwrnod fe gollodd y cyfan, a chafodd ei orfodi i symud i dref sianti i fyw.

Fe adeiladodd y bobl wyn eglwys fawr o dan adain yr 'Apostolic Faith Mission' ar y tir hwnnw, ac yn wir roedd gweinidog yr eglwys honno yn bresennol yn y gweithdy hefyd. Cododd ar ei draed a dweud, 'Pan glywais i hyn, cefais fy nwysbigo ac rwyf wedi gofidio llawer am beth ddigwyddod. Heddiw mae hi'n braf cael cyfle i ymddiheuro yn gyhoeddus. Hoffwn wneud hynny drwy olchi dy draed yn gyhoeddus, fel arwydd o'r edifeirwch sydd yn fy nghalon.' A dyna'n union a wnaeth.

Gafodd y gweinidog du ei groen y tir yn ôl?

Naddo. Ac mae hynny'n gwestiwn llosg. Yn achos y gweinidog hwn, sy'n hen ŵr bellach, dywedodd fod popeth yn iawn a'i fod yn derbyn ymddiheuriad y gweinidog arall. Ychwanegodd ei fod yn hapus yn awr. Ond wedi dweud hynny, mae 'na rai sy'n dweud, 'Dim maddeuant heb iawn ('restitution') am golled.' Yn bersonol, rwy'n credu yn yr egwyddor o dalu'n ôl, ond dydw i ddim yn credu fel Cristion y gallwch chi fynnu bod rhaid gwneud iawn ('restitution') na gwneud maddau yn beth amodol: er enghraifft, 'Wna i ddim maddau os na chaf hyn a hyn yn ôl.' Mae'n rhaid inni faddau yn ddiamodol. Ond credaf mai'r her fwyaf i Dde Affrica ar hyn o bryd ydi canfod beth ydi gwir edifeirwch. Mae hyn yn fater cymhleth dros ben oherwydd mae cymaint o feddiannu tir pobl eraill wedi digwydd; petai pobl yn ceisio bod yn rhy ddelfrydol, fyddai yna neb ar ôl yn y wlad ond rhai llwynwyr ('bushmen'), sef y bobl gyntaf i fyw yno.

Wnaeth y gweithdy ymhlith arweinyddion yr eglwys yn Ne Affrica unrhyw wahaniaeth i'r sefyllfa?

Bu'n frwydr anodd ond yn y diwedd, wedi inni fod wrth fwrdd y brenin, roedd hi fel parti mawr gyda'r arweinyddion hyn yn bendithio ei gilydd. Yna fe ddywedodd llywydd yr enwad fod arno eisiau gofyn am fy maddeuant. A dyma beth ddywedodd: 'Doeddwn i ddim eisiau ichi ddod yma, welwch chi? A ninnau wedi cael pobl yn dod yma o wledydd tramor, heb lawer o ostyngeidd-rwydd yn eu nodweddu, doedd gennym ni ddim syniad sut y byddech chi yn ein trin ni. Fyddwn i byth wedi ildio i'r syniad o ddod i'ch gweithdy oni bai i Eddie yma bwyso cymaint arnom. Yn y diwedd roedd yn rhaid inni ildio iddo er mwyn ei gadw'n dawel. Carwn felly ddweud diolch o galon i Eddie am ddal ati ac am ein gwthio ni, achos dyma efallai'r wythnos bwysicaf yn ein bywyd ni fel enwad. Rwy'n awyddus i bob gweinidog yn yr enwad gael yr un hyfforddiant â ni. Oes modd, felly, i hyfforddi timau dros y wlad fel bod y gweithdy hwn yn cael dylanwad ac effaith lesol dros y wlad i gyd?'

Roedd clywed hyn yn syndod mawr wedi'r holl anhawster a gawsom. Yna roedd hi'n drist iawn clywed am farwolaeth sydyn Eddie ryw bythefnos yn ddiweddarach. Dyn yr oedd Duw wedi ei ddefnyddio'n fawr oedd o. Mae arnom angen arweinwyr eraill tebyg iddo i gamu i'r adwy. Yn bersonol, mae arnaf eisiau hyfforddi timau gyda'r bwriad o drosglwyddo'r gwaith i ofal y bobl leol. Pan mae'r bobl leol yn cymryd y gweithdy eu hunain, mae ganddyn nhw lawer mwy o awdurdod na ni o'r tu allan. Gwelsom yr un peth yn Rwanda: pan ddechreuodd Joseph ac Anastase ddysgu, roedd cymaint mwy o fendith ac awdurdod, gan eu bod wedi byw drwy'r helyntion i gyd. Maen nhw'n gallu siarad o brofiad am werth cymod.

Yn Ne Affrica, yn lle mod i'n cyflwyno'r gweithdy hwn, dylai bod tîm – yn cynnwys y bobl ddu, y bobl wyn, yr Indiaid a'r rhai cymysg eu hil – yn cydweithio. Wrth i un ddysgu un pwnc ac un arall ddysgu pwnc arall, mae'r rhai a ddaw i'r gweithdai yn gweld eu bod o ddifrif yn ceisio cymod yn eu bywyd nhw eu hunain wrth iddyn nhw ymateb i'w gilydd fel arweinyddion. Ond cawsom gymaint o anawsterau yn ein rhwystro rhag mynd yn ein blaenau i drefnu hyn. Felly, yn awr, mae arnom eisiau rhoi mwy o amser mewn gweithdai hyfforddi, gan geisio mynd yn ôl i'r wlad a ffeindio rhai sydd wedi bod drwy'r gweithdai ac ymateb yn dda, a gweld pwy yn eu plith sy'n barod i gael eu hyfforddi i fod yn rhan o'r timau.

Byddwn i'n hollol hapus petai'r gwaith yn datblygu yn rhywbeth cwbl genedlaethol ac yn mynd allan o'm dwylo i, cyn gynted ag sy'n bosibl. (Ym mis Medi 2004, cynhaliwyd y gweithdy cyntaf gan dîm cenedlaethol o Dde Affrica. Diolch Iddo!) Peth arall a welsom, yn Ne Affrica, yn arbennig, ydi bod yn rhaid inni ddilyn y gweithdy cymod gyda gweithdy ar ddatblygu'r gymuned. Rhaid i gymodi droi'n rhywbeth ymarferol, gyda gweithredoedd yn dilyn. Ychwanegaf hefyd fy mod yn ymwybodol ei bod hi'n frwydr fawr.

Hoffem gael mwy o wahoddiadau gan enwadau neu fudiadau Cristnogol yn hytrach na'n bod ni yn ceisio perswadio pobl i ddod. Yr enwadau neu'r mudiadau a ddylai alw eu haelodau eu hunain er mwyn sicrhau bod pobl yn dod i'r gweithdai. Petai hynny'n digwydd, gwn y byddai'n rhaid inni ymdrechu'n galetach i geisio darbwyllo'r rhai a fyddai'n bresennol, gan y bydden nhw yno yn groes i'w hewyllys, ond byddai'n rhaid inni dderbyn hynny. Gwelais yr Ysbryd Glân yn torri i mewn gymaint dros y blynyddoedd fel fy mod yn ffyddiog mai'r dasg fawr i ni ydi eu cael yno. Os ydyn nhw yno, yn gwrando ar yr Arglwydd a'r Ysbryd Glân yn siarad â'u calonnau, gallwn ymddiried yn y Gair i weithio wedyn law yn llaw â thystiolaethau'r rhai sy'n arwain.

Oes cyfle i feddwl am strategaeth ehangach fyth? Allai'r gwaith dyfu yn beth ehangach eto?

Wrth feddwl am y gwaith yn Rwanda a De Affrica, rwy'n synio fel hyn: anodd iawn ydi deffro diddordeb gan fod 'cymodi' yn air drwg yn Ne Affrica. Dydi'r bobl wyn ddim eisiau gwybod, am eu bod wedi cael llond bol gyda'r hyn sy'n cael ei alw yn 'Truth and Reconciliation Commission'. Mae'r bobl ddu, ar y llaw arall, yn dweud, 'Wel, beth fydd yn newid?' Mae diffyg hyder yn eu plith ac amheuaeth ddofn na fydd y dyn gwyn yn eu deall fyth. Cafwyd llawer o addewidion gwag, dro ar ôl tro, gyda phobl yn dweud y byddan nhw'n anfon cynrychiolydd i'n gweithdy, ac wedyn yn ein siomi. Felly, byddwn yn anobeithio yn ein trefniadau a'n hymdrechion ein hunain ond yn obeithiol fod Duw wedi agor y drws led y pen i mewn i enwad yr 'Apostolic Faith Mission'.

Mae hon yn het arbennig iawn – ffrind a fu yn y seminar yn dechrau prosiect gyda merched Zulu tlawd i wneud hetiau, etc. drwy grosio stribedi o fagiau plastic siop Spar!

Fy maich i ydi gweithio gyda'r ieuenctid, oherwydd, yn Rwanda, rydym yn gweld ffrwyth arbennig yn eu plith nhw. Buom yn gweithio gyda'r Brifysgol yn Rwanda, a chawsom ymateb calonogol. Hefyd cawsom ymateb da ymhlith plant yr ysgolion uwchradd, hyd yn oed y plant amddifad, sef dioddefwyr pennaf yr hil-laddiad.

Wrth ofyn iddyn nhw a ydyn nhw'n credu y bydd y rhagfarn yn symud, dyma'r ymateb a gawn:

'Ymhlith yr hen bobl, na, ond fe allwn ni, y bobl ifanc, fel cenhedlaeth, greu Rwanda newydd.'

Clywais am blant bach, sydd wedi dioddef yn fawr, yn dweud bod arnyn nhw eisiau bod yn asiant i Dduw er tangnefedd. Felly fy ngweddi i yw y cawn gyfle i ddylanwadu rywsut ar y rhai sy'n arwain yr ieuenctid yn Ne Affrica hefyd, gan mai nhw ydi gobaith y genedl yn y dyfodol. Mae angen gweddi benodol am hyn.

Ai mater o addysgu ydi hyn yn bennaf?

Nid mater o addysg yn bennaf, oherwydd os ydi'r bobl wyn yn mynd i wynebu'r gwirionedd, mae o'n fater poenus iawn. Dydi'r gwirionedd ddim yn dangos y bobl wyn mewn goleuni ffafriol. Ac mae 'na andros o bwysau i beidio ag wynebu'r ffeithiau oherwydd hynny.

Beth fyddai o gymorth sylweddol?

Rhywun yn mynd trwy weithdy ac yna'n mynd yn ôl fel cenhadwr, yr un fath ag Eddie. Mae llawer o Gristnogion blaenllaw yn Ne Affrica wedi rhoi eu henwau, gan ddweud eu bod y tu cefn i'n hymdrechion fel mudiad – hynny yw, Mercy Ministries sydd â'i

Le Rucher – canolfan Mercy Ministries ger Genefa

bencadlys yng Ngenefa yn y Swistir. Elusen fechan a dyfodd allan o YWAM ydi Mercy Ministries sy'n canolbwyntio ar waith cymodi ethnig, datblygu'r gymuned a rhoi cymorth emosiynol i weithwyr Cristnogol sy wedi dioddef trawma yn eu gwaith cenhadol neu ddyngarol. Mae hi wedi bod yn fendith fawr imi gael gweithio o dan nawdd yr elusen yma. Un o gefnogwyr ein gwaith yn Ne Affrica ydi Michael Cassidy sy'n adnabyddus yn fyd-eang fel un a fu'n gweithio'n ddiwyd y tu ôl i'r llenni i ddymchwel apartheid. Dywedodd fod ganddo lwyr ffydd yn yr hyn yr ydym yn ei wneud. Mae eraill, sy'n arwain mudiadau gweddi, wedi dweud eu bod y tu

Rhiannon a Michael Cassidy, cyfarwyddwr rhyngwladol African Enterprise

cefn inni, ond, at ei gilydd, mae pawb yn rhy brysur ac yn gaeth i'w rhaglenni eu hunain.

Cawsom gyngor gan ambell un i beidio â defnyddio'r gair 'cymod' o gwbl yn ein llenyddiaeth. Yn hytrach maen nhw'n awgrymu geiriau fel 'gweithdy gobaith newydd i'r wlad'. Mae hi'n sefyllfa anodd oherwydd y dadrithiad mawr. Os oes gan bobl elynion, pwy sydd â'r brwdfrydedd i ddod i weithdy sy'n mynd i'w helpu nhw i garu eu gelynion? Dywedodd un ferch wrth un o arweinyddion y timau lleol yn Rwanda ei bod hi wedi bod mewn sawl gweithdy cymod (sy'n costio i fynd iddyn nhw), a dim daioni wedi dod allan ohonynt. 'Does dim un ohonyn nhw wedi fy helpu i faddau!' Yr arweinydd wedyn yn ateb drwy ei chymell i ddod i'n gweithdy ni: 'Mae'r Ysbryd Glân yn gwneud pethau arbennig yma. Fedra i ddweud wrthyt ti'n sicr, os doi di am dridiau i'r gweithdy hwn y byddi di'n ffeindio bod dy galon di'n gallu gwir faddau.' Atebodd y ferch: 'Os felly, dydw i ddim eisiau dod.'

Cawn weld beth fydd yn digwydd yn Ne Affrica. Credwn na fydd y gwaith a wnaethpwyd yn ofer, ac y bydd ffrwyth i'w weld ryw ddydd.

12 Unigolion

Oes 'na hanes unigolion yr hoffech ei rannu â ni?

Fe hoffwn rannu rhai o storïau'r bobl a fu yn y seminarau yn Rwanda, ac a gafodd gymorth mawr drwy fod ynddyn nhw.

ABEDNEGO
Twtsi oedd Abednego a fagwyd yn y Congo. Collodd lawer o'i berthnasau yn yr hil-laddiad, ac fe ddaeth i Rwanda ar ôl cyfnod y lladd. Daeth i seminar ddechrau Medi 1996, a phan wnaethom ddechrau gweithdy'r groes dywedodd Abednego, 'Dydw i ddim eisiau bod yn rhan o hyn o gwbl.' Roedd wedi cythryblu i gyd, ac meddai, 'Dydw i ddim yn mynd i mewn i unrhyw grŵp, achos os gwna' i rannu beth sydd yn fy nghalon i, wnaiff neb fy nerbyn i wedyn fel gweithiwr Cristnogol.' Roedd yn gweithio fel efengylydd yn yr eglwys Bresbyteraidd yno, rwy'n credu. Rhedodd allan o'r adeilad. Roedd y lleill yn mynd i mewn i grwpiau ar y pryd, a dyma Anastase yn mynd ar ei ôl ac eistedd i lawr gyda fo a dweud, 'Gwranda, frawd, rwyf am wybod beth ydi'r boen sydd yn dy galon di.'

Doedd arno ddim eisiau siarad llawer ond fe ofynnodd Anastase iddo, 'Ble oedd Duw i ti yng nghanol y dioddefaint yna i gyd?'

Atebodd, 'Os oes yna Dduw, mae o'n un o'r "interhamwe".' Dyna enw'r grŵp a wnaeth gynllunio a chyflawni'r hil-laddiad. A dyma fo'n beichio wylo. Does yna ddim byd gwaeth na chredu, os ydi Duw yn bod, ei fod yn ein herbyn ni ac yn cymryd rhan y bobl sydd am ein lladd. Dyma Anastase yn ei helpu i siarad am ei boen, ac fe wylodd am amser hir. Wedyn fe ddaeth yn ôl i'r adeilad gydag Anastase pan oedd y lleill yn mynd â'u papurau at y groes. Ac meddai Anastase wrth Abednego, 'Wyt ti am fynd â'th bapur at y groes hefyd?' Atebodd, 'Ydw.' Ond rwy'n cofio'i weld yn oedi llawer. Roedd wedi penlinio wrth y groes, ac roedd yn dal ei bapur am amser hir cyn y gallai ei hoelio i mewn i'r groes. Roedd y lleill i gyd yn aros ar y safle, ond roedd Abednego yn byw wrth ymyl y safle, felly fe aeth adref dros nos. Bore drannoeth, pan ddaethom at ein gilydd, dyma fo'n dweud, 'Rwyf eisiau dweud rhywbeth. Pan es i adref neithiwr, doeddwn i ddim wedi bod yn y tŷ yn hir iawn cyn i'm gwraig a'm plant ddweud, 'Beth sy wedi digwydd i dad? Mae o'n ddyn newydd heno.' Ac meddai, 'Rwyf yn ddyn newydd. Rwyf eisiau gwneud rhywbeth rŵan,' meddai. Ac edrychodd o gwmpas yr ystafell a dweud, 'Oes yna Hwtw yma?' Ac fe safodd un o'r Hwtws ar ei draed, ac aeth ato a'i gofleidio. Ac meddai, 'Dyna beth mae Duw wedi ei wneud i mi neithiwr.'

Ar ôl y seminar fe aeth yn ôl i'w eglwys yn llawn llawenydd gan ddweud wrth bawb ei fod wedi medru maddau a'i fod wedi ffeindio cariad Duw o'r newydd. Ryw fis wedyn dyma'r rhyfel yn torri allan rhwng y Congo a Rwanda, ac roedd llawer o ffoaduriaid Hwtw yn dal yn y Congo. Roedd y gwersylloedd wedi cael eu dadfyddino. Roedd yna ymladd yn mynd ymlaen rhwng y Twtsis a'r Hwtws yn y Congo, ac roedd yna ladd ar y ddwy ochr. A dyma'r Hwtws yn eglwys Abednego yn dweud, 'Rwyt ti wedi dy fagu yn y rhan hon o'r Congo, felly rwyt ti'n gyfarwydd â'r wlad. Os gweli'n dda, wnei di fynd â thîm o fan hyn i'r Congo i chwilio am ein perthnasau ni yn y goedwig, a dod â nhw'n ôl yn ddiogel i Rwanda?' Doedd o ddim yn gwybod beth i'w ddweud. Roedd o'n synnu eu bod yn gofyn hynny iddo, a dyma nhw'n dweud, 'Rwyt ti wedi maddau inni, on'd wyt? Fe ddaru ti ddweud dy fod wedi maddau.'

'Do. Do,' meddai.

'Os felly, mae'n rhaid iti ein helpu.'

Aeth Abednego yn ôl i'w gartref a dweud wrth ei deulu ei fod am fynd i'r Congo i geisio achub yr Hwtws. Doedd ei deulu ddim yn deall. 'Dwyt ti erioed yn mynd i beryglu dy fywyd i fynd i achub ein gelynion ni yn y Congo?' Ac meddai, 'Mae'n rhaid imi.' I ffwrdd â fo, gyda dau neu dri o rai eraill, mewn lorri, a dreifio i'r Congo i chwilio am y bobl yn y goedwig. Ac fe ddaethon nhw o hyd i lawer ohonyn nhw. Wrth gwrs, pan oedden nhw'n edrych ar Abednego, roedden nhw'n gweld ei nodweddion corfforol ac yn gwybod mai Twtsi oedd o, ac roedd arnyn nhw ofn drwy'u bywydau. Ceisiodd eu darbwyllo, 'Rwy'n eich caru chi, rwy'n frawd i chi, rwy'n Gristion, ac rwyf wedi dod yma i'ch helpu chi i fynd adref yn ddiogel.' Serch hynny, doedden nhw ddim am ymddiried ynddo. Yn y diwedd, fe ddringon nhw i'r lorri a chychwyn. Yn fuan fe gafon nhw deiar fflat, a phan stopiodd y lorri fe neidion nhw allan a rhedeg i'r goedwig gan ddweud, 'Trap ydi hyn. Mae o am ein rhoi ni yn nwylo'r milwyr.' Ond dywedodd Abednego, 'Na. Dim ond teiar fflat ydi hyn. Dewch yn ôl.'

I ffwrdd â nhw wedyn yn y lorri. A hithau'n tywyllu yn y man, roedden nhw'n teithio drwy goedwig, ac fe ddiffoddodd y goleuadau'n sydyn. Doedd dim modd iddyn nhw ddreifio heb oleuadau, ac fe stopion nhw yng nghanol y goedwig. Eto roedden nhw wedi cael braw ofnadwy. 'Fe ddwedon ni mai trap oedd o'n blaen,' medden nhw, a rhedeg i ganol y goedwig. Yn y diwedd llwyddodd Abednego i'w cael at ei gilydd a dweud wrthyn nhw, 'Gwrandewch,' meddai, 'rwy'n addo ichi rŵan, os caiff unrhyw un ei ladd yma, fi fydd y cyntaf. Wna' i ddim gadael i neb eich lladd chi heb eu bod yn fy lladd i gyntaf. Rwyf wedi dweud wrthych chi, rwy'n eich caru chi, ac rwyf wedi dod yma am fod Crist wedi fy nghymell i ddod.' Yn y man, wedi iddyn nhw drwsio'r goleuadau, dyma nhw'n dringo'n ôl i mewn i'r lorri, ac i ffwrdd â nhw.

Pan ddaethon nhw at y ffin rhwng y Congo a Rwanda, roedd y milwyr yn adnabod Abednego, ac meddai wrthyn nhw, 'Fy ffrindiau i ydi'r rhain. Gadewch inni fynd drwodd. Ac ym mhob un o'r siecbwyntiau fe adawodd y milwyr iddyn nhw fynd drwodd. Esboniodd Abednego yn syml wrthym, 'Erbyn inni ddychwelyd i Kigali, roedden nhw wedi credu fy mod i yn eu caru nhw.'

Ar ôl hynny, roedd Abednego yn mynd o gwmpas y wlad yn pregethu am y groes. Roedd yn ddewr, yn dweud wrth bawb, gan gynnwys arweinyddion y llywodraeth, 'Dim ond un ateb sydd, sef croes Iesu Grist.'

Wedyn fe ddechreuodd deithio i'r gogledd peryglus lle roedd llawer o'r 'interhamwe', y milisia, yn dal i lechu yn y coedwigoedd a lle roedd llawer o ladd yn dal i ddigwydd. Ychydig o Twtsis sydd yn y rhan honno o'r wlad, ac meddai Abednego, 'Mae angen yr efengyl arnyn nhw; rwyf am fynd i bregethu'r newyddion da iddyn nhw.' Felly dyna lle roedd, yn peryglu ei fywyd yn teithio yn ôl a blaen i'r gogledd. Cafodd brofiadau anodd iawn. Cyn i ni ei weld, roedd newydd gael profiad erchyll. Esboniodd wrthym iddo deithio mewn bws mini, ac roedd y milisia wedi eu stopio nhw, ac wedi lladd pawb ond dau ohonyn nhw, sef Abednego ac un arall. Gwelodd y lleill yn cael eu lladd, a bu mewn trawma ar ôl hynny. Roedd yn denau – yn methu bwyta oherwydd wlserau yn ei stumog. Fe weddïon ni drosto a rhoi ffisig iddo. Gofynnais iddo, 'Beth ydi dy gynlluniau nawr?' Atebodd, 'Dal i fynd, wrth gwrs. Mae'n rhaid imi; dyma'r unig ffordd y medrwn ni bontio'r gagendor rhwng y bobl hyn. Mae'n rhaid imi ddal i fynd.' Felly roeddem yn gweld y dyn yma o'n blaen: roedd yn ymgorfforiad o wyrth. Roedd wedi symud o fan lle nad oedd yn siŵr a oedd yn Gristion mwyach – yn amau amcanion Duw, yn ddrwgdybus o bawb ac yn llawn poen – i fan hollol wahanol, yn ddyn newydd. Mae'n dal i weithio'n eiddgar dros gymod a thros ddod ag efengyl tangnefedd i lawer.

LEONIDAS

Hoffwn sôn yn awr am Leonidas. Hwtw ydi o, a doedd o ddim wedi mynd allan i'r gwersylloedd. Roedd wedi aros yn Rwanda, ac wedi byw drwy lawer o helbulon i fyny yn y gogledd. Roedd gwrthdaro mawr rhyngddo fo a rhai o'r Twtsis yn yr un ardal a oedd wedi lladd ei blant. Pan ddaeth Leonidas i'r seminar cyntaf, roedd ganddo 'Bell's Palsy' – roedd un rhan o'i wyneb wedi ei pharlysu – ac ni allai'r meddygon ei wella. Yn y gweithdy dyma fo'n maddau i'r rhai a fu'n elynion

Leonidas

iddo, a gosododd ei galon yn iawn gyda'r Arglwydd. Gweinidog oedd Leonidas. Ar ôl y seminar aeth i ymweld â'r gweinidogion eraill y bu'n teimlo'n ddig tuag atyn nhw o'r blaen. Gofynnodd am eu maddeuant, a dywedodd ei fod wedi maddau i'r rhai a laddodd ei blant, ac erfyniodd arnyn nhw i faddau iddo yntau am ei atgasedd o tuag at bawb o'u grŵp nhw. Ddeuddydd ar ôl hynny roedd y parlys wedi mynd yn llwyr: roedd yn holliach. Aeth o a gweinidog arall i mewn i un o'r ysgolion a dweud yr hanes, eu bod wedi arfer casáu ei gilydd ond iddyn nhw fynd i weithdy 'lle roedd Ysbryd Duw wedi cyffwrdd â'n calonnau, ac rŵan rydym yn frodyr yng Nghhrist. Rydym wedi dod yma i siarad gyda chi fel ysgol ichi gael gwybod bod yna obaith am gymod yn Rwanda.' Mae Leonidas, erbyn hyn, wedi bod yn arweinydd un o'n timau lleol ers blynyddoedd. Mae'n dal yn weithgar dros ben, ac yn awyddus i deithio i wahanol leoedd i rannu'r newyddion da. Fe ysgrifennodd gân allan o Ddatguddiad 7: 'Pwy yw'r rhain yn eu gynau gwynion? Dyma'r rhai sydd wedi gwrthod baeddu eu dillad trwy fod yn rhan o raniadau ethnig ac atgasedd a drwgdybiaeth.'

DEFOTA

Defota ydi'r nesaf yr hoffwn sôn amdani. Fe wnes i ei chyfarfod hi tra oeddwn yn cymryd rhan mewn eglwys. Gofynnodd a allai siarad â mi, a gallwn weld ei bod wedi cael ei niweidio'n ofnadwy. Roedd ganddi greithiau mawr ar ei phen a'i hwyneb. Euthum i'w gweld yn ei chartref, sef bwthyn bach tlawd. Dyma eistedd ar fat ar y llawr gyda'n gilydd, a rhannodd ei hanes.

Defota

Roedd wedi cael ei dwyn i fyny yn Nyamata, y lle cyntaf y bûm ynddo, y lle gwaethaf yn Rwanda yn ystod yr hil-laddiad. Cafodd mwy o Twtsis eu lladd yno nag mewn unrhyw fan arall. Ei chwestiwn i mi oedd, 'Sut mae Duw cariad yn gallu cynllunio rhywbeth fel hyn? Fe gollais fy nheulu i gyd bron, a chefais fy niweidio'n ofnadwy.' Lladdwyd ei gŵr a'i phlant – wyth ohonyn nhw, rwy'n credu. Roedden nhw wedi ei thorri hi â *machetes*, ac roedd hi'n gorwedd yno'n gwaedu a llawer o'i hesgyrn wedi'u torri. Roedd hi'n marw ond roedd hi'n Gristion. A thra oedd hi'n gorwedd yno, dyma hi'n teimlo Ysbryd Duw yn ei chyfarch a dweud, 'Dwyt ti ddim yn mynd i farw. Rwyt ti'n mynd i fyw, ac rwyt ti'n mynd i ddatguddio fy ngogoniant i.'

Daeth rhyw Hwtws heibio, a dweud, 'Mae'n well inni fynd â hi i'r cwt acw, er mwyn iddi o leiaf gael marw y tu mewn.' A dyma nhw'n ei chario hi i'r cwt lle roedd cyrff meirwon yn gorwedd. Yn fuan ar ôl hynny daeth y milisia yn ôl a rhoi'r cwt ar dân. Doedd Defota ddim yn gallu symud, ac meddai wrth iddi weld y cwt yn dechrau llosgi, 'Arglwydd fe wnest ti addo i mi na fyddwn yn marw, ond yn byw i gyhoeddi dy ogoniant di.' Y peth nesaf mae'n ei gofio yw ei bod yn sefyll ar ei thraed, rhyw bellter y tu allan i'r cwt. Roedd wedi cael ei niweidio'n ddifrifol, a bu yn yr ysbyty am dri mis. Wrth imi eistedd gyda hi, dywedais, 'Nid Duw wnaeth gynllunio iti fynd drwy'r erchyllterau yna, oherwydd nid Duw sy'n cynllunio pechod. Pechod dyn wnaeth achosi'r dioddef ofnadwy i ti.' Aethom drwy'r Ysgrythur gyda'n gilydd nes ei bod yn gweld bod Duw o'i phlaid hi, a'i fod yn erbyn pob math o anghyfiawnder, a'i fod wedi gofidio'n ddwfn am y ffordd roedd hi wedi cael ei thrin. Erbyn imi adael, roedd hi wedi medru dod yn ôl i ymddiried yn yr Arglwydd eto. Dywedodd wrthyf, 'Rwyf wedi maddau i'r bobl.' A derbyniais yr hyn a ddywedodd.

Tua thair neu bedair blynedd ar ôl hynny, roedd aelodau ein tîm ni yn pregethu yn ei heglwysi hi yn Kigali lle roedd hi'n byw erbyn hynny. Wedi'r oedfa dywedodd wrthynt, 'Mae angen imi ddod i un o'ch seminarau chi.' Atebodd y tîm, 'Dewch gyda ni. Mae gennym un yr wythnos nesaf yn Nyamata.' Roedd syndod yn amlwg ar wyneb Defota. 'Nyamata!' meddai, 'dydw i ddim yn mynd yn ôl yno. Dyna lle ddaru'r holl bethau ofnadwy ddigwydd. Byddai'n rhy anodd o lawer imi fynd yn ôl yno.' Ac atebodd y tîm, 'Efallai mai dyma ydi doethineb Duw iti. Os dyna lle digwyddodd yr erchyllterau, os deui yn ôl gyda ni, rydym yn credu mai yno y gelli gael dy iacháu.' Ar ôl dipyn o berswadio, fe aeth gyda nhw. Profiad ofnadwy iddi hi oedd bod yn ôl yn yr ardal a gweld yn y seminar bobl a fu'n byw o'i chwmpas hi, heb iddi wybod pwy oedd yn erbyn pwy na phwy y gallai ymddiried ynddyn nhw. Roedd hi'n gorfod gwrthwynebu'r demtasiwn i redeg allan; doedd hi ddim eisiau aros yno o gwbl. Ond erbyn y diwedd, ar ôl mynd i weithdy'r groes a chlywed pobl fel Joseph yn sefyll yn y bwlch ac yn wylo a gofyn am faddeuant ar ran yr Hwtw, cafodd ras ac iachâd eglur. Yn awr mae hi'n mynd o gwmpas yn tystio. Er y creithiau, mae ei hwyneb hi'n disgleirio ac mae hi'n dweud, 'Rwy'n gwybod bod Duw wedi achub fy mywyd i bwrpas. Mae o am i mi ddatgan ei ogoniant ym mhob man.'

LEONARD

Hwtw oedd Leonard. Roedd wedi ffoi i'r gwersylloedd yn y Congo ar ôl yr hil-laddiad. Cyn mynd roedd ganddo ddwy lysfam (gan fod ei dad wedi cymryd tair gwraig). Tra oedd y Twtsis wedi ffoi am eu bywyd, aeth y ddwy lysfam i dŷ yn eu hardal i ladrata eiddo'r perchnogion. Pan ddaethon nhw yn ôl o'r Congo i Rwanda, roedden nhw'n ddiobaith gan feddwl, 'Bydd y Twtsis yn ein lladd, ond waeth inni fynd yn ôl i farw yno na marw yma yn y Congo.' Adre yr aethon nhw, ac ar ôl darganfod y lladrad, aethpwyd â thad Leonard i'r llys a dweud wrtho, 'Mae'n rhaid iti dalu'n ôl rŵan am bob peth y gwnest ti eu dwyn o'n cartref ni.' Doedd gan y dyn ddim arian o gwbl, a doedd o ddim yn gwybod beth i'w wneud. Gwaetha'r modd, fe gyflawnodd hunanladdiad. Leonard oedd y mab hynaf ac roedd y cyfrifoldeb i gyd ar ei ysgwyddau o. Ni wyddai yntau beth i'w wneud. Newydd ddigwydd oedd hyn pan ddaeth i mewn i'r seminar. Rhannodd ei stori gyda ni, a dweud ei fod wedi synnu ei fod wedi cymryd y risg yn y seminar hwnnw i adrodd yr hanes. Edrychodd o gwmpas y stafell a sylwodd fod nifer o'r rhai a oedd yn bresennol, yn Hwtws a Thwtsis, yn wylo drosto. Ar ddiwedd y seminar dywedodd un o'r gweinidogion, 'Rwy'n meddwl y dylem gymryd casgliad i helpu'n brawd.' Pobl dlawd oedden nhw i gyd, ond fe roddon nhw yr hyn a allen nhw, ac yn y diwedd roedd yna ddigon wedi ei gasglu i dalu'r ddyled. Aeth Leonard at y Twtsi a dweud bod yn ddrwg iawn ganddo am yr hyn roedd ei deulu wedi ei wneud ac nad oedd yn cytuno â'r hyn a wnaethon nhw, a bod ganddo arian i dalu'r ddyled am yr hyn a ladratawyd. Erbyn hyn maen nhw wedi cymodi ac maen nhw'n ffrindiau mawr. Mae Leonard yn ddyn sy'n llawn llawenydd.

JACQUELINE

Twtsi ydi Jacqueline. Cafodd hi ei magu yn Uganda. Yno roedd hi wedi clywed ei rhieni'n dweud mai pobl ofnadwy oedd yr Hwtws yn Rwanda. Roedd hi'n eu casáu yn angerddol, a phan oedd hi'n eneth ifanc gofidiai ei bod yn rhy ifanc i fynd yn filwr a mynd i ladd yr Hwtws yn Rwanda. Cymaint oedd ei chasineb at yr Hwtws, os oedd hi mewn bws gyda rhai ohonynt, byddai'n dweud mai hi oedd yr unig un yn y bws: doedd hi ddim yn fodlon ystyried bod yr Hwtws yn fodau dynol. Ar ôl yr hil-laddiad roedd Jacqueline yn eu casáu hyd yn oed fwy. Dywedai, 'Dydi hi ddim yn bosibl i neb gasáu'r Hwtws yn fwy angerddol na fi.' Pan ddaeth hi i'r seminar, roedd hi'n ddrwgdybus iawn wrth weld Joseph yn sefyll yno fel Hwtw. Meddyliai, 'Pam y mae Anastase yn sefyll yno gyda fo? Pam mae o'n gwneud unrhyw beth gyda fo? Sut y gallan nhw arwain tîm gyda'i gilydd fel hyn?' Ac roedd ei chalon yn gaeedig ac oer. Erbyn hyn roedd hi'n ddiacones mewn rhyw eglwys, ond roedd ei chalon yn llawn o chwerwder tuag at yr Hwtws. Eto, pan ddaru Joseph sefyll yn y bwlch ac wylo a gofyn am faddeuant ar ran yr Hwtws a dechrau cyffesu'r holl bethau roedd yr Hwtws wedi eu gwneud yn erbyn y Twtsis, fe feddalodd ei chalon yn llwyr. Fel merched eraill y rhanbarth roedd hi'n gwisgo sawl haen o ddillad am ei chanol, ac ar ddiwedd y seminar fe dynnodd yr haen allanol ac aeth at Joseph a dweud, 'Rwyf am iti fynd â'r dilledyn yma adref gyda thi a'i ddefnyddio fel mat drws. Cei sychu dy draed arno bob tro rwyt yn mynd i mewn i'r tŷ, a phob tro rwyt yn gwneud hynny rwyf am iti gofio'r Twtsi a faddeuodd.'

Y bore olaf, pan oedden nhw'n cychwyn am adref, dyma hi hyd yn oed yn rhedeg at Joseph a gafael ynddo pan oedd yn y car a dweud, 'Mi hoffwn i berthyn i dy deulu di.' Ac meddai Joseph, 'Croeso. Fe gei di fod yn ferch i mi. Tyrd i'n gweld ni yn ein cartref. Byddaf wrth fy modd o'th gael yn fy nheulu i a chyflwyno fy mhlant iti.' A hynny a fu. Mae hi wedi bod yno'n aros sawl gwaith. Roedd ei thad yn fyw, ac yn chwerw dros ben. Doedd o ddim yn Gristion, ac roedd yn flin iawn tuag ati. Sut y gallai hi fod yn ffrindiau gyda Hwtw fel hyn? A dywedodd hi wrtho, 'Tyrd gyda mi iti gael gweld sut bobl ydyn nhw.' Ac fe aeth â'i thad gyda hi i dŷ Joseph. Daeth ei thad yn Gristion o ganlyniad. Mae Jacqueline, erbyn hyn, wedi bod yn efengylu yr un fath ag Abednego, yn y lle mwyaf peryglus, sef y gogledd. Mae hi'n hyfforddi gyda YWAM ar hyn o bryd yn Rwanda, ac yn tystiolaethu drwy'r wlad am y newid mawr a brofodd. Mae hi'n onest iawn am y casineb a oedd yn ei chalon hi cyn hynny. Ac mae Duw wedi ei defnyddio hi'n helaeth.

JOSEPH

Hoffwn sôn fwy am y modd y gall Duw brynu'n ôl y profiadau drwg rydym wedi eu cael a'u defnyddio er gogoniant iddo fo. Roedd Joseph yn ein tîm ni yn un o'r Hwtws a wnaeth ddianc i'r Congo ar ôl i'r Twtsis fod yn llwyddiannus a dod â'r hil-laddiad i ben. Roedd Joseph yn erbyn yr hyn a oedd yn digwydd. Doedd o

Joseph a'r teulu

ddim wedi cymryd rhan, a bu'n rhaid iddo ymguddio neu fe fydden nhw wedi ei ladd o oherwydd ei fod yn gwrthod cymryd rhan. Roedd wedi dod yn Gristion cyn hynny; wedyn, pan oedd y Twtsis wedi cael yr oruchafiaeth, roedd yr Hwtws yn ofni'n fawr y bydden nhw'n lladd miloedd o'r Hwtws heb ofyn cwestiynau. Felly fe wnaeth dwy filiwn ohonyn nhw ffoi i'r Congo a Tanzania. Roedd Joseph yn un o'r rhai a wnaeth ffoi gyda'i deulu.

Fe wnes i gyfarfod Joseph yn un o'n seminarau ar ôl iddo ddychwelyd i Rwanda o'r gwersyll yn y Congo. Fe welsom fod yna rywbeth hynod iawn ynglŷn â Joseph, ei fod yn ddyn duwiol arbennig. Ac fe wnaethom ofyn iddo ymuno â'r tîm i weithio law yn llaw gydag Anastase. Rhoddodd ei hanes i mi. Roedden nhw wedi dioddef llawer yn y gwersyll. Fe gafon nhw eu taro gan golera. Bu farw ei fab ifanc, ei chwaer a'i dad o'r colera. A bu bron iddyn nhw i gyd golli eu bywydau. Wedyn, ar y ffordd yn ôl, pan oedden nhw'n dychwelyd o'r Congo, yn cerdded drwy'r goedwig, fe ddiflannodd ei frawd, ac ni welwyd ef ar ôl hynny. Felly roedd wedi dioddef llawer ac wedi cael llawer o golledion teuluol.

Un waith pan oeddwn yn cyflwyno'r pwnc yma – Duw yn prynu'n ôl y pethau drwg sydd wedi digwydd a bod modd inni hyd yn oed ennill drwyddyn nhw – fe ofynnais i Joseph, 'Wyt ti'n difaru dy fod wedi bod allan yn y gwersyll?' Roeddwn i yn Rwanda pan oedd llawer wedi ffoi i'r Congo, a doedden nhw ddim wedi lladd llawer bryd hynny, er i rai gael eu lladd ymhellach ymlaen – ond ychydig o gymharu â'r nifer oedd yn euog. Felly pan glywais stori Joseph roeddwn yn meddwl, 'O Joseph, pam wnest ti fynd i'r Congo? Pam na wnest ti aros yn Rwanda. Mi fyddet ti wedi bod yn ddiogel, a byddai dy fab, dy chwaer ac efallai dy dad a'th frawd gyda thi o hyd.' Ond pan ofynnais iddo a oedd yn difaru, edrychodd arnaf a gofyn, 'Oherwydd yr holl ddioddef? Do, fe wnes i ddioddef, ond dydw i ddim yn difaru oherwydd dyna lle wnes i ddysgu ymddiried yn yr Arglwydd. Pan fyddaf yn dweud yn awr fy mod yn ymddiried yn yr Arglwydd, nid yngan geiriau'n unig ydw i. Mae'n rhywbeth real a bywiol.'

ANANIAS

Rwy'n cofio rhywun arall o'r enw Ananias. Roeddem yn rhannu profiadau am y modd roedd Duw wedi prynu'n ôl y pethau drwg a oedd wedi digwydd a'u defnyddio er daioni. Meddai Ananias, 'Mae gen i dystiolaeth ynghylch hynny hefyd. Cyn yr hil-laddiad, roeddwn yn gymharol gyfoethog. Roedd gen i siop fechan, a modur bach hyd yn oed. Ond roeddwn wedi mynd i deimlo'n falch iawn, yn teimlo fy mod i uwchlaw y bobl dlawd ac yn rhywun pwysig oherwydd fod gen i fymryn o arian. Wedyn fe ddaeth yr hil-laddiad, a bu'n rhaid inni ffoi a chuddio mewn corstiroedd ac ogofâu a than y ddaear. Roeddem i gyd gyda'n gilydd ar yr un gwastad. Roedd yn brofiad ...' Meddyliwn ei fod am ddweud bod y profiad yn un ofnadwy; ond beth ddywedodd oedd 'Roedd yn brofiad bendigedig.' 'Be?' meddwn i, gan feddwl fy mod wedi camddeall a bod y cyfieithydd, efallai, wedi cael y gair anghywir. Ac meddai Ananias, 'Rwy'n golygu hynny. Roedd yn fendigedig.' Gofynnais, 'Sut wyt ti'n gallu dweud hynny?' Ac meddai, 'Dyna lle gwnes i ddarganfod beth sydd o wir bwys mewn bywyd.'

Mae clywed pethau o'r fath yn her fawr i mi. Yn aml ar ddiwedd gweithdy'r groes, pan oeddem yn ystyried y pethau da a ddaeth allan o'r profiadau anodd, roeddem yn gofyn iddyn nhw, 'Oes yna rywun yma sy'n gallu dweud eu bod wedi ennill yn ysbrydol drwy'r profiadau ofnadwy maen nhw wedi bod trwyddyn nhw?' Roedd bron pawb yn yr ystafell yn codi eu dwylo, ac roedd llawer yn eiddgar i dystiolaethu a dweud pa ennill roedden nhw wedi ei gael a'r modd y daethon nhw i adnabod Duw yn fwy real, a rhai efallai wedi dod i'w adnabod am y tro cyntaf.

Roedd rhai wedi cael iachâd. Er enghraifft, fe soniodd un am ddiabetig mewn cyflwr gwael oedd angen inswlin. Bu'n rhaid iddo ffoi drwy'r goedwig, ac wrth gwrs doedd dim inswlin i'w gael yno. Daeth Cristnogion o'i gwmpas a gweddïo drosto; wedyn roedd yn iawn a doedd dim angen inswlin ar ôl hynny.

ANTOINE

Clywsom lawer o hanesion o'r fath am bobl yn galw ar yr Arglwydd ac yn ei gael yn real yng nghanol yr argyfwng. A dweud y gwir, rwyf wedi gweld hiraeth bron am yr amser hwnnw mewn rhai pobl. Mae'n beth mawr i'w ddweud. Gwn fod Antoine, sy'n arwain African Enterprise heddiw, yn sôn am y dyddiau hynny a'r modd yr oedden nhw'n byw yn agos iawn at yr Arglwydd. 'Roeddem yn gwrando'n astud ar Ei lais. Pan oedd yr Ysbryd Glân yn dweud wrthym am symud, roeddem yn

Antoine yn siarad mewn Brecwast Gweddi i'r Llywodraeth

symud; pan oedd yn dweud wrthym i aros lle roeddem, roeddem yn gwneud hynny. Roeddem yn dibynnu ar glywed llais yr Arglwydd er mwyn aros yn fyw. Roeddem yn clywed ei lais mor glir y dyddiau hynny, a phob dydd roeddem yn barod i farw ac roeddem yn cadw ein calonnau'n lân, lân o flaen Duw.' Roedd Antoine yn edrych yn ôl ar y dyddiau hynny gyda rhyw hiraeth. Mae'n ddyn duwiol heddiw, ac yn weithgar iawn dros y deyrnas. Eto roedd yn dweud bod rhyw realiti a rhyw agosrwydd yn y berthynas â Duw yng nghanol y tywyllwch hwnnw – agosrwydd gwerthfawr dros ben.

Beth am unigolion yn Ne Affrica? Oes 'na rai sy'n dod i'r cof?

RIA

Symud rŵan i Dde Affrica. Rydym wedi gweld pethau godidog yn digwydd yno hefyd, er gwaethaf yr holl anawsterau. Gadewch imi ddweud hanes Ria wrthych. Cafodd Ria ei dwyn i fyny mewn cartref cymysg yn Ne Affrica. Roedd ei thad yn ddyn du a'i mam yn

Cynrychiolwyr o bob llwyth wrth Fwrdd y Brenin –
Ria yn y canol

fenyw wen o'r Iseldiroedd. Roedden nhw wedi priodi cyn i
apartheid wneud hynny'n anghyfreithlon. Roedd deddf yn ystod
Apartheid a ddywedai nad oeddech i gael priodi unrhyw un o
grŵp ethnig gwahanol i chi eich hun. Roedd ganddyn nhw nifer o
blant o wahanol liw: rhai yn olau iawn eu croen a rhai yn dywyll.
Cofiai un waith pan ddaeth yr heddlu i'w thŷ a gafael yn ei thad a
dweud, 'Beth wyt ti yn ei wneud yng ngwely benyw groenwyn?' Fe
aethon nhw ag ef i'r carchar ac yno y bu am ddeng mlynedd, dim
ond am iddo gymryd benyw wen yn bartner. A phan ddaeth yn ôl
o'r carchar roedd yn ddyn a oedd wedi torri a heneiddio. Yn amlwg
roedd wedi cael ei ddirdynnu. Yn ystod ei garchariad fe
ddiflannodd y plant â chroen golau, a hyd heddiw does gan Ria
ddim syniad ble mae ei brodyr a'i chwiorydd hi. Roedd ei mam, ar

ei gwely angau, yn galw enwau'r plant a oedd wedi diflannu.

Hanes torcalonnus oedd hanes Ria. Fel y gellid disgwyl, fe dyfodd yn oedolyn llawn dicter. Ymunodd â'r ANC (yr Affrican National Congress) sef grŵp Mandela, ac ymunodd hefyd â grŵp a ddefnyddiai drais, ac fe aeth hi'n wneuthurwr bomiau. Wedyn fe ymunodd ag un o'r gangiau treisgar sydd yn Capetown, gang a oedd yn masnachu mewn cyffuriau. Roedd Ria bob amser yn cludo dryll a chadwyn, ac fe briododd un o arweinwyr y gang. Roedd pobl yn ei hofni hi yn fwy hyd yn oed na'i gŵr.

Chwe blynedd yn ôl fe ddaeth tîm YWAM o Seland Newydd i Dde Affrica. Roedden nhw'n mynd o ddrws i ddrws yn nhref Worcester, sydd ddim ymhell o Capetown, lle roedd Ria yn byw. Roedden nhw'n dweud wedyn, pe baen nhw'n bobl leol y bydden nhw wedi gwybod y dylen nhw gadw'n ddigon pell o'i chartref hi. Fyddai pobl leol ddim wedi bod yn ddigon mentrus i fynd i'w chartref. Fe aethon nhw at y drws ac yno, wrth siarad â hi, fe wnaethon nhw ei harwain at yr Arglwydd!

Mae Ria erbyn hyn wedi newid gymaint. Y tro cyntaf y gwnes i ei chyfarfod roedd hi yn un o'r rhai a oedd yn coginio yn ein seminarau. Roedd y gegin wedi ei lleoli y drws nesaf i'r ystafell lle roeddem yn cynnal y cyfarfodydd. Heb inni wybod roedd Ria yn gwrando ar bob gair drwy'r drws. Bob hyn a hyn deuai i mewn i'r cyfarfod a dweud, 'Ia, rwy'n cytuno. Fe ddigwyddodd hynna i mi hefyd.' Wedyn fe âi yn ôl at y coginio. Dywedodd wedyn, ar y diwedd, mai hwnnw oedd y tro cyntaf iddi allu maddau i'r du a'r gwyn. Cyn hynny roedd hi'n casáu y du a'r gwyn ac yn teimlo nad oedd yn perthyn i'r naill ochr na'r llall. Roedd un arall o hil gymysg a oedd yn coginio gyda hi; un o dras y llwynwyr oedd hi, sef y bobl gyntaf i fyw yn Ne Affrica. Cafodd Ria a hithau iachâd a rhyddhad mawr; aethon nhw adref o'r seminar, medden nhw yn ddiweddarach, a mynd i ymweld â phobl ddu a phobl wyn a theimlo bod ganddyn nhw hawl i fod yno, er eu bod o hil gymysg, a'u bod ar yr un gwastad â phawb arall, a bod Duw yn eu derbyn. Erbyn hyn mae Ria wedi gweithio llawer gyda phlant y stryd, ac maen nhw'n ei charu'n fawr. Cafodd weinidogaeth arbennig, ac mae Duw yn ei defnyddio hi'n helaeth yn ei hardal. Ymunodd â'n tîm ni fel eiriolwr, ac mae hi'n sensitif iawn i'r Ysbryd Glân. O ganlyniad, mae hi'n gwybod am beth y dylai weddïo amdano, a beth ydi'r gwrthwynebiad ysbrydol yn y seminarau. Mae ganddi ddawn werthfawr tu hwnt.

CHARLES
Wrth gwrs mae yna gost hefyd i fod yn rhan o weinidogaeth fel hyn. Cyn y Nadolig yn 2003 clywsom fod Charles Sheppard, ffarmwr gwyn a dyn arbennig iawn ac un o'n harweinyddion arwyddocaol yn Ne Affrica, wedi ei drywanu i farwolaeth. Cefais sioc ofnadwy pan glywais y newyddion. Roedd yn ddyn a wnâi bopeth i godi a

Charles ac Elisabeth

151

gwella ansawdd bywyd y bobl ddu. Roedd yn eu gwasanaethu yn ddi-baid, roedd ef a'i wraig, Elisabeth, yn mynd â bwyd bob wythnos i deuluoedd yn eu hardal a ddioddefai o AIDS. Mae'r ffermwr gwyn, yn anffodus, yn symbol o orthrwm y gwynion, ond roedd ganddo fo ysbryd gwahanol iawn. Gofynnwn, 'Pam fo? Fo ddylasai fod yr olaf iddyn nhw ei ladd.' Ond wedyn cofiais am Iesu Grist yn marw'n gwbl ddiniwed, a'i farwolaeth o oedd y weithred fwyaf gwaredol ('*redemptive*') erioed! Felly rydym yn tybio na fydd marwolaeth Charles yn cael ei gwastraffu, ond y bydd Duw yn dod â daioni allan o hyn. Clywsom fod yr angladd yn weithred o gymod. Roedd cynrychiolwyr o bob grŵp ethnig yno, a'r bobl ddu yn gofidio fwy na neb. Mae colli Charles yn golled enfawr i ni – fo oedd yn trefnu'r seminarau i gyd yn Kwa-Zulu-Natal, a phawb yn ei barchu. Yn sicr fe fydd ffrwyth gwerthfawr yn deillio o hyn. Fe dystiolaethodd ei weddw yn rymus yn yr angladd.

13 Edrych ymlaen

Oes drysau wedi agor ichi i fynd i wledydd eraill?

Wel, dydw i ddim yn trio agor drws heb i Dduw ei agor. Dydw i ddim eisiau gwthio dim byd. Fodd bynnag, rydym wedi cael ein gwahodd i'r Traeth Ifori ac i'r Congo – dwy wlad sy'n mynd drwy ddioddefaint mawr ar hyn o bryd – ac rydym wedi cynnal gweithdai yno yn ystod y flwyddyn ddiwethaf, a gweld Duw'n gwneud pethau arbennig yno.

Oes yna wledydd eraill yr ydych yn bwriadu ymweld â nhw?

Mae Duw wedi rhoi addewidion inni mewn gwahanol ffyrdd yn Rwanda a'r tu allan i Rwanda – fod Duw am ddefnyddio Rwanda, nad yw wedi anghofio'i phobl ac na fydd eu dioddefaint yn wastraff. Yn hytrach, mae Ef am ddefnyddio'r wlad i ddod â goleuni i dywyllwch gwledydd eraill, a bydd Rwanda yn addysgu'r byd sut i faddau. Rydym wedi cyhoeddi tair albwm yn Rwanda gyda chaneuon am gymodi. Tua wyth mlynedd yn ôl roedd un myfyriwr o'r Brifysgol yn cael ei ddefosiwn un bore ac fe deimlodd ei hun yn derbyn cân gan Dduw yn dweud bod Duw yn mynd i wneud rhywbeth bendigedig yn y wlad. Teitl y gân yw: 'Mae'r Arglwydd yn dyfod' ('Uwiteka araje'), ac mae'r cytgan yn dweud:

> Dyw Duw ddim wedi anghofio ei wlad,
> Dyw Duw ddim wedi anghofio ei dosturi.

Mae'r gân yn mynd ymlaen i ddweud bod Duw yn mynd i wneud rhywbeth rhyfeddol yno, ac y bydd y byd i gyd yn dod i weld bod gan Rwanda Dduw arbennig.

Hefyd, mae Anastase, Joseph a minnau yn teimlo bod y gwaith yn Rwanda ar un llaw yn dod i ben, oherwydd ein bod ni erbyn hyn wedi trosglwyddo'r gwaith i'r timau lleol, ac yn ceisio eu cael i weld bod yr hyn sy'n cael ei wneud o hyn allan yn rhan hanfodol o weinidogaeth yr eglwys leol. Rhaid eu cael allan o'r meddylfryd fod hwn yn brosiect arbennig o Ewrop ac angen arian oddi allan i'w gynnal. O hyn allan, dylai pob eglwys ymgymryd â'r gwaith o sôn am gymodi dyn â Duw, a chymodi rhwng dyn a'i gyd-ddyn. Dylai'r neges hon am gymod fod yng nghanol yr efengyl. Felly bydd y gwaith, fel y cyfryw, yn dod i ben yn Rwanda ymhen rhyw flwyddyn neu ddwy, mae'n debyg.

Gwn fod yna eneiniad arbennig ar weinidogaeth Anastase a Joseph, ac mae ganddyn nhw lais cenedlaethol yn awr. Hefyd mae Duw yn codi pobl ar gyfer y gwaith, i sicrhau y bydd y gwaith yn mynd yn ei flaen, ond nid yn ffurf y prosiect fel y cyfryw. Teimlwn hefyd fod yna alwad arnom ni fel triawd, a byddem wrth ein bodd o gael y cyfle i fynd i wledydd eraill trwy wahoddiad i gynnal gweithdai gan weld beth sy'n bosibl. Calonogol oedd cael gwahoddiad yn ddiweddar i fynd i'r Congo, lle mae 'na ddioddef ofnadwy wedi bod: 6.7 miliwn wedi eu lladd yn ddiweddar, llwythau yn lladd ei gilydd, yn enwedig yn rhan ddwyreiniol y wlad. Oherwydd y lladd a diffyg llywodraeth dda, mae cyflwr y wlad yn ddifrifol.

Cafodd Joseph ei wahodd i mewn i Goma, sydd reit ar y ffin â Rwanda, wedi i'r llosgfynydd ffrwydro. Roedd hanner y ddinas honno o dan lafa, ac fe ofynnodd *World Vision* i Joseph fynd i mewn a chynnal gweithdy ar iachâd wedi trawma. Aeth Twtsi arall o'r enw Solomon, nid Anastase y tro hwn gan nad yw'n siarad Ffrangeg, i'w gynorthwyo. Ond pan aethon nhw yno, doedden nhw ddim eisiau siarad am y llosgfynydd, ond yn hytrach eisiau siarad am faint roedden nhw yn casáu Rwanda, a sut roedd helbulon Rwanda wedi effeithio arnyn nhw yn y Congo.

Anfonodd Joseph e-bost ataf yn dweud, 'Roedd rhaid inni fod fel sbwng yn derbyn eu dicter nhw, ond erbyn inni fynd at y groes gyda'n gilydd, ac yn enwedig ar ôl i mi a'm ffrind sefyll yn y bwlch a gofyn am faddeuant i'r Congo ar ran Rwanda, roedd yr ymateb yn anhygoel.' Deall bod pobl yn wylo ac yn cofleidio'i gilydd. Wedyn fe es i gyda Joseph i gynnal gweithdy pellach. Cawsom groeso arbennig a thystiolaethau gwych. Meddai un ferch sy'n weinidog mewn eglwys Bentecostaidd:

'Roeddwn i'n casáu Rwanda â'm holl galon. Pan fyddwn i'n clywed iaith Rwanda ar y radio, byddwn yn diffodd y set ar unwaith, achos fedrwn i ddim dioddef clywed yr iaith.'

Cymodi yn y Congo

Erbyn diwedd y gweithdy dilynol, roedd hi yn un o'r rhai a ofynnai:

'Gwrandewch, gawn ni ddod i Rwanda gyda chi? Wnewch chi ein hyfforddi ni?'

Wel, fe ddewison ni chwech ohonyn nhw i ddod gyda ni, a dod i un o'n gweithdai hyfforddi yn Rwanda. Fe aethon nhw drwy'r hyfforddiant, ac wedyn roedden nhw ar dân eisiau mynd â'r neges i weddill y Congo. Mae cyflafan ofnadwy newydd fod rŵan yn y gogledd ddwyrain. Fe laddwyd llawer o Gristnogion, ac mae'r ysbyty Cristnogol gwych yr oedd Helen Roseveere wedi helpu i'w adeiladu wedi ei ddinistrio. Clywsom fod aelodau'r tîm ddaru ni eu hyfforddi o Goma wedi bod yn cynnal seminarau i ffoaduriaid o'r ardal. (Bellach bûm yn y gogledd-ddwyrain a gweld Duw yn gwneud gwaith arbennig yno. Mae gen i faich i weithio llawer mwy yn y Congo os bydd y drws yn agor.)

Mae'n amlwg bod eich gwaith chi yn y gweithdai wedi bod o help aruthrol mewn lleoedd tywyll iawn fel Rwanda. Ydych chi'n obeithiol y gallai eich gweithdai helpu mewn gwledydd eraill fel Israel a Phalesteina?

Byddwn wrth fy modd yn gwneud rhywbeth yno. Ond mae yna fudiad cymodi – Iddewon Meseianaidd sy'n Gristnogion a Christnogion sy'n Balesteiniaid. Maen nhw'n cydweithio gyda'i gilydd, rhai dan arweiniad Coleg Beiblaidd Bethlehem. Mae'r cyfryngau'n sôn am y pethau drwg yn bennaf, ond mae gwaith da yn digwydd hefyd.

Daeth gwahoddiad i fynd i Sri Lanka a Kosovo a Bosnia, ond fe syrthiodd pethau drwodd. Yr angen yw cael corff i fod yn gyfrifol am y gwaith a gofalu bod yna ddilyniant yn y wlad wedi i ni ymweld.

Un wlad sydd ar fy nghalon ydi Affganistan, ac fe ges i gyfle rai blynyddoedd yn ôl i siarad mewn cyfarfod cudd ar ffin Affganistan, sef Pacistan, i gredinwyr newydd o Affganistan. Roedd hi'n berygl bywyd cynnal cyfarfod Cristnogol gyda'n gilydd. Pe bai'r llywodraeth wedi gwybod ein bod ni yno, pwy a ŵyr beth fyddai wedi digwydd. Ond roeddwn wrth fy modd yn mynd i gyfarfod y Cristnogion newydd hynny, ac fe siaradais gyda nhw am y 'genedl sanctaidd' a'r hunaniaeth newydd. Cawsom amser arbennig. Dywedai'r ddwy garfan, sydd wedi bod yn rhyfela yn erbyn ei gilydd ers canrifoedd, eu bod yn 'gydetifeddion yn y genedl sanctaidd'.

Roedden nhw'n awyddus imi fynd gyda nhw i mewn i Affganistan at grwpiau o Gristnogion cudd, ond yn sydyn daeth y Taliban i rym, a doedd dim gobaith i ferch wneud unrhyw beth o'r fath. Teithiais i gopa'r Khyber Pass, ac edrych i lawr ar Affganistan, gan ddweud wrth yr Arglwydd y byddwn yn barod iawn i fynd i mewn i'r wlad honno dim ond iddo Ef agor y drws ar yr amser iawn.

Daeth gwahoddiad yn ddiweddar o'r Traeth Ifori. Roedd cenhadwr yno wedi clywed am y fendith yn Rwanda, ac yn gofyn

Rhiannon gyda Hwtw a Thwtsi yn recordio rhaglen radio
yn y Traeth Ifori

a oedd modd i Rwanda fendithio'r arfordir hwnnw. Teimlwn mai dyma'r addewid y mae Duw wedi ei roi i ni. (Rydym wedi bod yno deirgwaith bellach fel tîm o Rwanda ac wedi hyfforddi tîm lleol yno.)

Wnewch chi ein hatgoffa o'r addewid unwaith eto i gloi.

Y bydd y goleuni yn mynd o Rwanda i wledydd eraill lle mae tywyllwch. Mae Joseph ac Anastase hefyd wedi cael gwahoddiad i fynd i Sierra Leone.

Beth am Gymru? Ydych chi'n meddwl y dowch chi'n nôl i Gymru i wneud gwaith Cristnogol ryw ddydd?

Mae gen i faich dros Gymru, ond mae'n rhaid imi fod yn onest a dweud mai tristwch mawr rwy'n ei deimlo. Rwy'n gweld cyflwr ysbrydol gwael, yn enwedig ymysg y Cymry Cymraeg. A bod yn onest, roeddwn yn falch fod Duw wedi fy ngalw i weithio rywle arall. Rwy'n ei chael hi'n haws i weddïo am ddiwygiad yn Rwanda, a chredu y daw, nag i gredu y daw diwygiad i Gymru.

Pam hynny, a Chymru'n cael ei galw'n 'wlad y diwygiadau'?

Wel, mae 'na gefnu ar Gristnogaeth wedi digwydd ar raddfa fawr yng Nghymru. Mae rhywfaint o grefydd ar ôl, ond ychydig iawn, ac mae capeli'n cael eu cau ym mhobman. Mae pobl wedi colli diddordeb am fod Cristnogaeth real a byw – yn hytrach na chrefydd ddiwylliannol – bron â bod yn gywilydd ac embaras. I Gymry Cymraeg, mae siarad am yr efengyl yr un fath â siarad am ryw i bobl oes Fictoria. Mae yna swildod ofnadwy ac ymdeimlad nad yw'n beth gweddus i siarad am bethau'r galon a'r efengyl. Ond does dim un sefyllfa yn amhosibl i Dduw, a rhaid dod yn ôl i'r fan honno.

Mae rhai sydd wedi clywed am y gwaith yn Rwanda wedi gofyn a fyddai'n bosibl imi ddod a chynnal y gweithdy yng Nghymru, fel bod Cymry a Saeson a Chymry di-Gymraeg yn gallu dod at ei gilydd, oherwydd bod angen cymodi yma hefyd. A'm hateb innau bob tro ydi hyn:

'Os caf wahoddiad, rwy'n fodlon dod. A gwn y byddai Joseph ac Anastase yn barod i ddod i ddweud yr hanes a chynorthwyo.'

Byddai'n ardderchog o beth petai Rwanda yn gallu bendithio Cymru; byddai hynny'n fendith fawr. Cefais wahoddiad i gynhadledd yn Ffrainc ddiwedd y flwyddyn ddiwethaf gan grŵp o Gristnogion sy'n dod at ei gilydd yn Ewrop i weddïo dros anialwch ysbrydol y cyfandir hwn. Cefais brofiad arbennig y carwn ei rannu â chi. Mae'r grŵp hwn o Gristnogion yn teimlo mai ni ydi'r cyfandir mwyaf anghenus yn ysbrydol yn y byd i gyd yn awr, er mai o Ewrop yr aeth y gwaith cenhadol allan gyntaf.

Roeddent yn gofyn y cwestiwn hwn: 'Beth sy'n ein rhwystro ni rhag cael tywalltiad arall o'r Ysbryd Glân yn Ewrop?' Ac un o'r pethau y gwnaeth yr Ysbryd Glân ein hargyhoeddi ohono oedd euogrwydd Ewrop lle mae Affrica yn y cwestiwn. Rydym wedi treisio'r cyfandir hwnnw mewn cymaint o ffyrdd. Cafodd y cynadleddwyr eu harwain yn arbennig at Gynhadledd Berlin, 1884-85. Bryd hynny fe dreuliodd arweinwyr gwleidyddol 11 o wledydd dri mis gyda'i gilydd yn rhannu Affrica rhyngddyn nhw, gan benderfynu pwy oedd yn mynd i reoli pob gwlad ar y cyfandir, a hynny heb ymgynghori ag un Affricanwr. Ni chafodd yr Affricanwyr unrhyw ran yn y drafodaeth.

Teimlent fod hwnnw yn rhywbeth penodol, a bod angen cael cynhadledd gyhoeddus lle byddai Cristnogion o bob gwlad a oedd yn bresennol yng Nghynhadledd Berlin yn sefyll yn y bwlch gan ofyn am faddeuant am yr hyn a wnaed.

Cawsom y gynhadledd gyntaf yn Ffrainc i baratoi, ac rydym yn gobeithio cael cynhadledd fawr yn Berlin ei hun yn fuan, i weithredu ar yr egwyddor o sefyll yn y bwlch.

Daeth un o arweinyddion y mudiad gweddi byd eang ataf yn Ffrainc a dweud fel hyn: 'Wyt ti'n sylweddoli dy fod ti, fel Cymraes, wrth ofyn am faddeuant yn Affrica bron bob dydd rwyt ti yno, yn helpu i ryddhau Cymru yn ysbrydol hefyd?' Doeddwn i erioed wedi meddwl bod yr hyn roeddwn i'n ei wneud yn Affrica yn gallu helpu fy ngwlad fy hun. Roedd hynny'n fy nghyffwrdd yn fawr. Erbyn hyn (Hydref 2004) mae gen i lawer mwy o obaith. Mae'n syndod clywed bod pobl dros y byd yn cael eu hysbrydoli i weddïo dros Gymru, y bydd ffynhonnau'r diwygiad yn cael eu hail-agor. Mae gen i ryw gynnwrf yn fy nghalon fod gan Dduw rywbeth ar droed! Gallaf weld bod yr Ysbryd Glân ar waith yn ddistaw bach yng Nghymru, ac mae arwyddion calonogol i'w gweld. Mae hi fel petai'r rhew ar ôl gaeaf hir iawn yn dechrau dadmer. Ac rwy'n teimlo cymhelliad i beidio â bod mewn gwledydd tramor gymaint, ond i fod fwy ar gael yng Nghymru. Credaf y gwelwn eto fendith Duw ar ein cenedl.

Diolch yn fawr ichi am rannu cymaint o hanesion gwerthfawr ac arwyddocaol – hanesion a gwersi sydd wedi costio'n ddrud i chi a'r bobl o Rwanda a gwledydd eraill rydych yn eu gwasanaethu.

GEIRFA FER

calonogol – *encouraging*
chwarennau – *glands*
corstiroedd – *marshlands*
cudd-ymosodiad – *ambush*
cynnwrf – *excitement*
cysyniad – *concept*
dadrithiad – *disillusion*
dirdynnu – *to torture*
eneiniad – *spiritual influence*
goresgyniad – *invasion*
gosgordd – *escort*
hil – *race*
hil-laddiad – *genocide*
hunaniaeth – *identity*
hygrededd – *credibility*
llosgfynydd – *volcano*
llysgenhadaeth – *embassy*
rhwystredigaeth – *frustration*
strwythurau – *structures*
tiriogaeth – *territory*